CIVILIZAÇÕES PERDIDAS

2ª Impressão 2024

Presidente: Paulo Roberto Houch
MTB 0083982/SP

Coordenação Editorial: Priscilla Sipans
Coordenação de Arte: Rubens Martim (capa)
Edição: Ana Vasconcelos (ECO Editorial)
Diagramação: Patrícia Andrioli
Imagens: Shutterstock

Foi feito o depósito legal.
Impresso no Brasil

Dados Internacionais de Catalogação na Publicação (CIP)
de acordo com ISBD

M543s Meneses, Manoela

Os Segredos das Civilizações Perdidas / Manoela Meneses.
Barueri : Camelot Editora, 2022.
144 p. ; 15,1cm x 23cm.

ISBN: 978-65-80921-35-5

1. História. 2. Civilizações Perdidas. I. Título.

2022-2765 CDD 900
CDU 94

Elaborado por Vagner Rodolfo da Silva - CRB-8/9410

IBC — Instituto Brasileiro de Cultura LTDA
CNPJ 04.207.648/0001-94
Avenida Juruá, 762 — Alphaville Industrial
CEP. 06455-010 — Barueri/SP
www.editoraonline.com.br

Sumário

MUNDOS PERDIDOS ENVOLTOS EM MISTÉRIOS

Os Rapa Nui e seus enormes moais na Ilha de Páscoa, os canibais Anasazis nos EUA, os Mochicas do norte do Peru, os nômades Acádios, os temidos Vikings e lugares lendários como o continente perdido de Atlântida, o mito de Shangri-La, Avalon e Eldorado, uma cidade repleta de ouro em plena selva amazônica. Todas essas civilizações sempre habitaram o imaginário de pesquisadores e curiosos em todo o mundo, despertando o interesse de historiadores que tentam descobrir como elas surgiram, como viveram, por que desapareceram e até mesmo se realmente existiram. O que aconteceu, afinal, com povos outrora desenvolvidos e que foram sepultados sob camadas de mistérios?

Muitos aventureiros se arriscaram e perderam a vida em busca de ruínas e tesouros de civilizações perdidas. Algumas dessas cidades foram redescobertas e se tornaram pontos de visitação turística. Outras ainda fazem parte do mundo das lendas e continuam instigando nossa imaginação. Neste "Civilizações Perdidas", você vai fazer um mergulho no passado e se surpreender com o que a ciência já descobriu a respeito desses povos, dos quais hoje só restam ruínas ou mesmo lendas, mas que, um dia, forjaram grandes civilizações e foram os senhores do seu tempo.

VESTÍGIOS DO PASSADO

1

O CENÁRIO DE MISTÉRIOS ENVOLVENDO DIVERSAS CIVILIZAÇÕES ANTIGAS DEIXOU RASTROS DE LENDAS E HISTÓRIAS FANTÁSTICAS PARA SEREM DESVENDADAS EM TODO O MUNDO

A forma de vida adotada pela sociedade contemporânea está diretamente ligada às atividades realizadas por civilizações perdidas no passado. Com pensamentos à frente de sua época, cada uma delas precisou se adaptar a uma série de acontecimentos naturais para gerar um sistema eficiente de funcionamento. Ao longo dos séculos, estudos arqueológicos revelaram heranças históricas deixadas por cidades antigas em toda a trajetória da humanidade, muitas delas permanecendo evidentes até os dias atuais. Desde os primórdios, o cenário hierárquico de seus habitantes já era representado por fortes divisões de poder entre elites governamentais e homens simples voltados aos serviços manuais, atuando em diferentes escalas das atividades de plantio.

Os costumes das populações primitivas envolviam culturas peculiares reveladas de maneiras bem diferentes. Muitas desenvolveram linguagens próprias, centros especializados em movimentações comerciais, envolvendo as principais moedas de troca de cada época. O processo de desenvolvimento proporcionou invenções consideradas modernas diante da limitação de recursos disponíveis nas cidades primitivas. Sem estrutura para enfrentar desastres causados por fatores climáticos, os povos inovaram criando métodos de estiagem, técnicas de irrigação, proteção de argila contra enchentes e a manutenção de canais fluviais que garantiam a preservação de água em tempos de seca prolongada. A rotina de alimentação dos indivíduos também apresentou a necessidade de produzir utensílios domésticos, como potes de cerâmica para armazenar e processar as refeições.

Embora os avanços conquistados tenham sido bem sucedidos, civilizações inteiras desapareceram, em alguns casos, sem deixar rastros que comprovem a existência de seus habitantes. Desastres naturais, fome generalizada, invasões violentas, guerras, declínio dos recursos extraídos do meio ambiente, excesso de população e epidemias representam algumas das principais causas de extinção. As evidências deixadas por hábitos do passado giram em torno de diversas lendas e mistérios alimentados por descobertas arqueológicas que cercam o surgimento, apogeu e declínio de sociedades antigas. Em algumas situações, novos indícios chegam a alterar registros históricos já conhecidos.

PRIMÓRDIOS MATEMÁTICOS

A partir de 3800 a.C., os Sumérios iniciaram a construção do que os historiadores acreditam ser a primeira civilização do mundo antigo. Estabelecidos na Baixa Mesopotâmia, região localizada na divisa entre os rios Tigre e Eufrates, os povos nativos construíram um desenvolvido sistema social e cultural em torno de importantes cidades, como Nippur, Kish, Uruk e Ur. Os habitantes do povoado, atualmente território do Iraque, foram responsáveis por inúmeras soluções criativas para melhorar a qualidade de vida sem nenhum recurso tecnológico disponível na época. Entre os serviços inovadores estavam fornos caseiros, veículos com rodas e até embarcações. Os primeiros registros escritos, feitos em placas de argila endurecidas pelo sol, também são elementos presentes na história de sucesso da Suméria. No comércio, metais valiosos eram trazidos de outras localidades e vendidos em esquemas de troca com pagamentos a juros, ainda que não houvesse moeda corrente.

Foi nesse momento de expansão que os negociadores primitivos elaboraram soluções matemáticas utilizadas em diferentes setores no dia a dia contemporâneo. Os avanços administrativos permitiram aos comerciantes da região participar do desenvolvimento de raízes quadradas, frações com número 1, tábua pitagórica e o sistema sexagesimal originário de várias técnicas exatas. Além de movimentações financeiras, todo o conhecimento era utilizado para auxiliar no controle das águas dos rios, evitando enchentes no período de cheias com a criação de canais fluviais. Os métodos de barreira facilitavam a navegação aumentando a entrada de produtos usados para o abastecimento da população. Outra herança deixada pelos sumérios é o formato da hora dividida em 60 minutos e o ângulo de 360 graus.

GUERRAS INTERNAS

Com o rápido crescimento populacional da região, a Suméria expandiu-se para os territórios próximos formando diversas cidades. Grandes sedes de reinos foram construídas resultando em violentos confrontos governamentais. A recorrência de guerras sangrentas protagonizadas por moradores de Lagash e Ur possibilitou a entrada de povos semitas no território. Aproximadamente em 2350 a.C., representantes dos acadianos dominaram a Suméria, constituindo a ascensão do Império Acádio, o primeiro grande Estado da Mesopotâmia.

Além de contribuições científicas, literárias e sociais, os Sumérios também foram responsáveis pela invenção da cerveja. Arqueólogos canadenses descobriram o feito através de um exame químico realizado em uma camada residual de cerâmica encontrada no oeste do Irã. O estudo foi presidido pela Universidade da Pensilvânia e concluiu que o objeto servia como um recipiente para armazenar a bebida entre 3500 e 3100 a.C.

SEGUNDO A BÍBLIA

Abordado nas histórias do evangelho como a primeira civilização do mundo, o Egito antigo se destacou formando um forte sistema de Estado. De acordo com os capítulos do livro sagrado, seus habitantes constituíram todas as bases utilizadas na ascensão de Israel. O profeta Moisés, responsável por escrever os cinco primeiros textos da Bíblia, nasceu e foi educado entre a sociedade egípcia. Completamente adeptos da agricultura, a população dependia minimamente de práticas como pesca e caça para se sustentar, sendo considerada pioneira em domesticar espécies selvagens de animais. Situado na região nordeste da África, o progresso da população deve-se também aos recursos hídricos oferecidos pelo Rio Nilo. O sistema de trabalho subalterno possibilitou o aumento de terras conquistadas por camponeses que cultivavam uva, papiro, trigo, cevada e legumes.

A presença de um Estado centralizador no poder, por meio da liderança do faraó, obrigava os agricultores a separarem parte de suas produções para o governo. Entre 5000 e 3000 a.C. já se encontrava no território um grande número de pessoas vivendo em torno de construções fortificadas e templos. O clima desértico os protegia de invasões estrangeiras e as cheias do rio não agrediam de maneira destrutiva a região, servindo como termômetro para o sistema de irrigação das plantações.

Do ponto de vista comercial, praticamente não dependiam de relações exteriores. O solo fertilizado contava com um vasto material abastecido por minas de cobre, ouro e estranho. Todo o movimento populacional da época girava em torno da emblemática figura do faraó. O monarca se promovia como um verdadeiro herdeiro da vontade divina, atuando nas áreas militares, judiciárias, religiosas e políticas. Em 2150 a.C., diversos fatores ocasionaram o processo que culminou na completa decadência da monarquia egípcia. O país dividiu-se temporariamente após invasões asiáticas resultando no desaparecimento dos costumes sociais instaurados pela antiga civilização.

MONUMENTO HISTÓRICO

Uma das civilizações perdidas mais populares entre os viajantes atuais é o território de Machu Picchu. Conhecida também como a cidade perdida dos Incas, está localizada no topo de uma montanha, a 2.400 metros de altitude, no Peru. Desde 2007, o monumento integra a lista das sete maravilhas do mundo moderno simbolizando o valor cultural de seu passado e diversas contribuições para a evolução do cenário arqueológico. Toda a região histórica foi construída com pedras reunidas pelo Império Inca no século XV. O árduo sistema religioso imposto na época inspirou o levantamento de casas, igrejas, praças e cemitérios. Cada localização era estrategicamente posicionada para conectar os habitantes com a vontade divina em adoração ao deus Sol.

Shutterstock

Escrituras egípcias produzidas nos primórdios de sua civilização

Além das áreas religiosas, os Incas investiram ainda na manutenção de grandes terraços utilizados nas lavouras. Para quem visita Machu Picchu, considerada um dos mais importantes pontos turísticos da América Latina, é possível conhecer apenas 30% de sua arquitetura original, dividida entre partes agrícolas e centros comerciais, atualmente em ruínas. Existem diversas teorias sobre o desaparecimento da cidade, mas acredita-se que a maior parte de seu legado tenha se perdido ou sido modificado por espanhóis e governantes nativos da região.

ISOLAMENTO MISTERIOSO

A trajetória do povo da Ilha de Páscoa, no Oceano Pacífico, mostra a fúria da natureza contra os avanços inapropriados da humanidade. Em ascensão entre os séculos XI e XIV, a sociedade batizada como Rapa Nui ficou conhecida por ser um dos pontos mais distantes do mundo. Pertencente ao Chile, o complexo território possui 166 metros quadrados e está localizado a 3700 quilômetros de distância do continente americano. Como se não bastasse o isolamento geográfico, a ilha ainda é cercada por vários acontecimentos naturais que impedem a fertilidade do solo e inviabilizam a plantação de alimentos.

De acordo com uma sucessão de teorias, o processo de ocupação de Rapa Nui aconteceu entre os séculos V e VIII. O caso de maior curiosidade sobre as características apresentadas pelos nativos está envolvido com a construção das estátuas moais. Muitas lendas retratam as esculturas de tamanhos estratosféricos como rostos de pessoas falecidas pertencentes a dinastias dominantes no sistema monárquico vigente. Inúmeros fatores contribuíram para a decadência da civilização pascoal, sendo que o mais aceito detalha a falta de cuidado do povo com a preservação das florestas e o crescimento exacerbado do número de moradores.

PRÁTICAS CANIBAIS

Desenvolvida no sudoeste dos Estados Unidos, hoje ocupado pelos estados do Colorado, Novo México, Arizona e Utah, a sociedade Anasazi iniciou suas atividades a partir do ano 100 a.C. O povoado indígena aparentemente desconhecia todas as formas de escrita, as utilidades da roda e os progressos trazidos pelo ramo da metalurgia. A estrutura de sobrevivência da civilização consistia em tecer algodão, movimentando um intenso comércio com outras cidades próximas. Ao longo dos anos ficaram conhecidos também pela construção de engenhosas edificações em penhascos, pelas atividades envolvendo cerâmica e confecção de tapetes.

Em setembro do ano 2000 um programa de escavações realizado em uma antiga aldeia no Colorado descobriu atos ligados à antropofagia entre os índios. Aproximadamente no ano de 1150, a aldeia americana estava em decadência, sendo abandonada pela maioria de seus habitantes. Os resultados dos estudos antropólogos apontam que, nessa época, sete pessoas foram mortas, cozidas e servidas como alimento em refeições dos Anasazis. As evidências representam as primeiras atividades canibais entre as civilizações primitivas dos Estados Unidos.

NATUREZA SELVAGEM

Os Mochicas exerceram uma influência tão grande que seus feitos permanecem sendo aclamados até hoje. Residentes no norte do Peru, estabeleceram um sólido modelo de estado ativo entre os séculos I e VII. A construção do império apresentou características integralmente centralizadas nos vereditos definidos pela nobreza. Um surpreendente agrupamento de ideais transformou a população em exemplares produtores agrícolas. O cultivo da terra era feito graças à criação de aquedutos, responsáveis por levar água de fontes até locais públicos e privados. Entre os alimentos plantados de forma abundante estavam feijão, milho e batata. Mostrando amplas vertentes artísticas, os Mochicas foram pioneiros no desenvolvimento de vasos de barro, propagando técnicas de reprodução com traços humanos. Até hoje grupos de historiadores procuram explicações exatas sobre os eventos que ocasionaram seu desaparecimento. Um das teorias mais aceitas reúnem agressões provocadas pela natureza em longas alternâncias entre períodos de secas e cheias.

Shutterstock

Detalhes encontrados em ruínas da região dos Mochicas, no Peru

UNIFICAÇÃO DO IMPÉRIO

Aproximadamente em 2250 a.C., a região da Mesopotâmia foi palco de um grave conflito. Com a chegada da tribo de nômades formada pelos acádios, os sumérios se viram obrigados a participar de um extenso período de guerras para não perder o comando das terras férteis do local. Pesquisadores indicam que os invasores migraram do norte da Síria em busca de lugares valorosos em recursos naturais para constituir um potencial império. Diante da desunião apresentada pelos líderes da Suméria, a vitória acadiana se formalizou em pouco tempo. Embora adversários inicialmente, a cultura semelhante entre os dois grupos possibilitou a unificação de todos os habitantes, formando o primeiro império mesopotâmico.

Sob o domínio do rei Sagrão I, este período ficou conhecido como civilização sumério-acadiana. As crenças e artes contemplavam os deuses e os animais através da construção de palácios integrados a importantes templos. O progresso econômico consistia no êxito das soluções agrícolas intercaladas com atividades culturais feitas pela escrita cuneiforme. Toda a estrutura da sociedade entrou em declínio após uma série de revoltas internas ocasionadas por descontentamentos do povo. O império acádio não sobreviveu a violentas invasões estrangeiras, desaparecendo dois séculos após seus primeiros passos.

PATRIMÔNIO MUNDIAL

Ruínas impressionantes ocupam atualmente o espaço territorial deixado por uma das mais duradouras civilizações sul-americanas. O povo de Tiwanaku prosperou em torno do Lago Titicaca, na fronteira entre o atual Peru e a Bolívia, construindo um importante reinado. Vivendo seu período de ascensão nos anos 500 e 900, a cidade se destacou arqueologicamente por sua estrutura pública histórica para os conceitos contemporâneos. A antiga região possuía elementos de um expressivo conglomerado, abrigando inicialmente de 30 a 40 mil moradores.

Uma de suas principais criações arquitetônicas, a pirâmide de Akapana está associada aos longos períodos de seca alternados com fortes cheias. Ao redor do célebre monumento existem inúmeros esquemas de facilitação de drenagem formados por diques especializados em drenar as águas vindas dos canais fluviais. Extinta após uma forte crise climática, a cidade de Tiwanaku foi classificada como patrimônio mundial pela Unesco. Insatisfeita com o estado deteriorado das lendárias ruínas, a organização propôs um programa de restauração da região, iniciado em 2009.

MÚLTIPLOS TALENTOS

Figuras presentes no imaginário popular, os habitantes da Groenlândia Nórdica ficaram conhecidos por suas várias atividades. Vindos da Europa, os imigrantes criaram um modelo de vida extremamente parecido com o de sua terra natal. A civilização era formada pelos Vikings, guerreiros bastante conservadores e famosos pela violência aplicada na resolução dos problemas cotidianos. Os primeiros contatos dos Vikings com nativos da área remetem a intensos conflitos e banhos de sangue. O cenário político dividia a soberania entre o clero e chefes influentes da cidade antiga.

Ruínas de Tiwanaku na região na fronteira entre Bolívia e Chile

Shutterstock

Rochas com desenhos antigos em Utah, nos Estados Unidos

As normas comerciais funcionavam sem nenhuma espécie de moeda corrente, na forma de simples trocas de produtos entre as fazendas locais. No auge dos Vikings, existiam cerca de 250 propriedades com 20 pessoas residentes em cada uma delas. O retorno do clima gélido tradicional prejudicou diretamente o aumento dos recursos retirados do meio ambiente. Aos poucos, a ilha foi se isolando cada vez mais ao sofrer com o inverno rigoroso. A dificuldade dos Vikings em se adaptar à evolução cultural que perpetuava em todo o mundo também auxiliou na extinção da comunidade. Quase todos morreram, porém, para os arqueólogos, o comportamento peculiar adotado segue reunindo muitas lendas e mistérios.

PASSADO BRASILEIRO

Antes de ser descoberta pelos europeus no século XVI, a Amazônia chegou a reunir mais de 7 milhões de moradores. Pesquisadores geólogos alegam que as tribos indígenas da época exerciam atividades avançadas, diante da escassez de materiais disponíveis na floresta. Comerciantes atuando em trabalhos de grande escala, as comunidades mais famosas foram a Marajoara, da Ilha de Marajó, e a Tapajônica, localizada onde hoje está estabelecida a cidade de Santarém. A produção de cerâmica era a principal atividade indígena da região, sendo distribuída para vários lugares do mundo. Os avanços conquistados pela aldeia proporcionou o crescimento de um abastado império que iniciou sua civilização mais de 1000 anos antes da chegada dos primeiros portugueses ao Brasil.

Por meio de vestígios encontrados pela arqueologia é possível identificar um cuidadoso olhar artístico transformado em objetos feitos de barro reveladores de seus costumes. Em número maior de habitantes, os Tapajós atuavam como soberanos no Eldorado amazônico. A população era tão extensa que os líderes tapajós chegavam a reunir cerca de 60 mil homens dispostos a participar das batalhas. Já os talentos marajoaras eram voltados a realizações de engenharia. Seus interesses ultrapassavam a construção das ocas existentes na aldeia, e eles trabalhavam também em melhorias contra os períodos de cheias na Ilha por meio de aterros estruturais nos terrenos. Apesar de todo o processo evolucionário, não resistiram à chegada dos colonizadores portugueses e entraram em extinção, deixando uma infinidade de histórias impactantes na sociedade atual.

PESQUISAS ENIGMÁTICAS

Cercados de mistérios, possíveis rastros de uma antiga civilização localizada na selva de Honduras foram descobertos em 2012 por escavações arqueológicas. A estrutura da Cidade do Deus Macaco, conhecida também como A Cidade Branca, pode estar encoberta até hoje, tornando impossível a visualização de casas, árvores frondosas, pedras, palácios e diversas esculturas com importantes significados culturais. As primeiras peças reveladas, em 2016, comprovam a existência de vida humana na área graças à cabeça de um jaguar e de uma vasilha adornada em torno de pedaços de aves. O sítio estudado pela ciência estava escondido em terras virgens da floresta hondurenha. No projeto de revelar modos antigos de convivência humana, o governo do país conta com o auxílio de especialistas da National Geographic e da universidade americana do Colorado. Especula-se que a civilização tenha existido entre 3000 a.C. e 900 d.C. A lenda sobre a população da Cidade Branca aparece até mesmo em livros escolares de estudantes hondurenhos, citada como Amazônia centro-americana.

IMPÉRIO PERDIDO

Depois de um longo período de conflitos armados, grupos arqueológicos britânicos puderam voltar a realizar pesquisas no sudoeste da Líbia, em 2011. Em busca de sinais que comprovem o passado de mais de 100 influentes civilizações no deserto, as atividades utilizaram imagens captadas por aviões e modernos sistemas de satélites. O projeto é financiado pela União Europeia, tendo recursos disponíveis avaliados em US$ 4 milhões. Os primeiros achados estão localizados na cidade de Germa, identificada no passado pelo nome de Garaman. Estabelecido a partir do século VI a.C, o povoado dos Garamantes entrou para a história como uma civilização formada por homens bárbaros e sedentários. No entanto, os vestígios dessas outras cidades evidenciam uma versão extremamente empreendedora da região, trabalhando arduamente para a criação de uma rede de cidades sofisticadas. Muitas ruínas ficaram conhecidas pela arqueologia há mais de 30 anos, porém os pesquisadores só conseguiram estudar sua influência na cultura do país após o fim das guerras lideradas pelo governo de Muamar Kadafi. Entre os vestígios deixados pelos antigos moradores, o que mais impressiona são os castelos com até quatro metros de altura, cemitérios e marcas de plantações.

PRIMÓRDIOS GREGOS

Primeira potência naval da Europa, a civilização Minoica existiu entre 2700 e 1450 a.C. Considerados os principais representantes da cultura grega, evoluíram socialmente na Ilha de Creta, escolhendo Knossos como sua principal cidade. Alfabetizados em diversas formas de escrita nunca decifradas por pesquisadores, vendiam artigos de alto padrão para regiões do Egito e do Oriente próximo. Além do sistema bem sucedido de comercialização, trabalhavam ainda com soluções para o transporte de água e construção de grandes palácios, considerados evoluídos arquitetonicamente diante dos recursos disponíveis na época.

Até hoje pouco se sabe sobre a origem da população Minoica. Vivendo em maior parte na ilha do Mar Egeu, atingiram seu auge por volta de 1700 a.C., quando um terremoto chegou até a extensão do local devastando os palácios e toda a estrutura da criação de gado, cabras e agricultura. Em pouco tempo reconstruíram tudo com ainda mais benefícios. O declínio da civilização ocorreu no final do período Neopalaciano, no decorrer de uma crise cultural que permitiu a demolição de todos os palácios. Forças naturais, como a explosão de um vulcão, contribuíram posteriormente para o desaparecimento total do povo.

CONTOS MISTERIOSOS

Mesmo após séculos de sua primeira citação feita por Platão, a cidade perdida de Atlântida segue despertando interesse no universo científico contemporâneo. A lendária metrópole teria sido extinta em decorrência de um devastador tsunami responsável por acabar com mais de 100 quilômetros de território. Para encontrar a localização exata dos vestígios, pesquisadores analisaram fotos tiradas por satélites que revelaram melhores pontos de busca ao norte de Cadiz, na Espanha. Mapeamentos enterrados na região selvagem do Parque Doña Ana podem ter mostrado as práticas da civilização. Todas as descobertas mostram várias cidades elaboradas como uma espécie de memorial de costumes relacionados aos habitantes antigos.

Os sobreviventes da tragédia natural teriam construído novas urbanizações no interior da área. Diversas teorias apontam a cidade perdida como a primeira metrópole criada pelo homem. Pouco se sabe sobre o modo de vida dos moradores de Atlântida, no entanto, os contos de Platão descrevem o povoado como uma potência naval poderosa o suficiente para conquistar muitas partes da Europa ocidental e da África em aproximadamente 9600 a.C. Algumas lendas afirmam que o filósofo grego teria usado histórias verídicas no desenvolvimento de suas obras, como a erupção de Thera e a Guerra de Troia.

IMENSIDÃO AQUÁTICA

Segundo o arqueólogo Augustus Le Plongeon, o continente Mu, chamado também de Lemúria, é responsável pela origem de todos os seres humanos. A série de lendas disseminadas em 1896 sobre o assunto é conflitante com a versão dos pesquisadores, que afirmam desconhecer essa civilização, extinta nos primórdios do continente americano. No entanto, alguns estudiosos seguem buscando provas sobre as alterações geológicas responsáveis por afundar o território de Mu no oceano. Os habitantes da cidade teriam formado uma sociedade extremamente desenvolvida aproximadamente 50 mil anos atrás, tendo enriquecido comercializando ouro, prata e cobre. Com conhecimentos evoluídos, os líderes da população teriam previsto a catástrofe coordenando um grande grupo de fuga para viajar sem rumo pelo mundo. A deusa soberana entre todos os deuses na mitologia egípcia, Mut, seria uma das imigrantes fundadoras da América Central e, logo depois, de diversos países. A lenda mais famosa defende que Mu seria um território remanescente do Jardim do Éden, descrito na Bíblia como espaço criado por Deus para abrigar Adão e Eva.

DISPUTAS INTERNAS

Outra comunidade indígena protagonista de grandes guerras internas foram os Cimérios. Com origem ainda não confirmada pela arqueologia, a população teria vivido ao norte do Cáucaso, nome dado a uma região localizada entre o mar Negro e o mar Cáspio, marcando as fronteiras da Europa e Ásia. A história da sociedade teve início a partir de 1300 a.C. em uma área tomada por estepes pônticas, formadas por planícies vegetais. Expulsos de suas terras pelos Citas, povo formado por nômades da antiguidade clássica, migraram em direção ao sul. A partir deste episódio permaneceram durante um longo período em peregrinação atacando potenciais territórios. Diversas disputas entre grupos de caciques Cimérios pela liderança da tribo causaram o rápido declínio da civilização.

MISTICISMO NO HIMALAIA

Uma série de lendas cerca os elementos que formam a história do povoado denominado como Shangri-la. Criada pela imaginação do escritor James Hilton, a obra literária trata de um ponto mágico no universo supostamente localizado nas cadeias montanhosas do Himalaia. Diante de um cenário paradisíaco e completamente pacífico considerado inalcançável para o ser humano, o tempo corre de maneira diferente, impossibilitando todos os habitantes de envelhecerem como no resto do mundo. O mito surgiu logo após o lançamento do livro "Lost Horizon", em 1925. Inspirados pelas descrições da narrativa, inúmeros turistas organizaram expedições para tentar encontrar esse paraíso enigmático. A civilização estaria vivendo em torno de um local no Tibet, conhecido como Diging, que possivelmente foi usado como base para a composição literária do refúgio místico. Diante de tantas semelhanças entre ficção e realidade, em 2001 a cidade passou a se chamar oficialmente Shangri-la.

TRILHA LITERÁRIA

A lendária ilha de Avalon povoa a curiosidade popular pelas misteriosas citações às suas deslumbrantes maçãs. Na trajetória literária mundialmente famosa do Rei Arthur, o local é mencionado pela primeira vez na obra "Historia Regum Britanniae", do escritor Geoffrey of Monmouth, de 1508. Descrita como uma região de homens corajosos e aventureiros, foi associada em diversas teorias também a seres imortais. A colina do Tor em Glastonbury, na Inglaterra, era considerada pelos fãs da história como um dos acessos à extensão de Avalon. Especula-se que o oceano rodeava todas as partes da região servindo como descanso espiritual dos mortos antes de renascer carnalmente. Outra forma de chegar até o povoado encantado é entrando em uma caverna na encosta de uma montanha. Misturando elementos reais e roteiros imaginários, Avalon segue despertando interesse de aficionados por lugares repletos de magia.

CIDADE LEGENDÁRIA

As teorias sobre o famoso reino de Agharta alegam que o território estaria escondido dentro da Terra. Para alguns estudiosos, a superfície do planeta é formada por um complexo sistema de túneis e cavernas localizadas na região do Himalaia. Mesmo sendo considerada um mito da cultura oriental, a civilização foi citada pela primeira vez pelo escritor francês Louis Jacolliot. Durante o ano de 1873, ele criou a lenda de uma misteriosa cidade situada na Índia que passaria a existir apenas em locais escondidos. Inicialmente, o povoado funcionaria como uma espécie de residência mística ocupada por deuses nórdicos.

A história tornou-se popularmente conhecida por meio da obra "Bestas, Homens e Deuses", lançada pelo professor de ciências polonês Ferdynand Ossendowski. O reino que supostamente mistura eventos fictícios e reais abriga milhões de seres sob o comando do Rei do Mundo. Além dos países orientais, diversos ocultistas defendem a veracidade da história de Agharta, sendo divulgada em produções literárias renomadas. O único meio de acesso seria um portal secreto, exterminando todas as possibilidades de entrada do mal. Os habitantes podem desenvolver poderes de controle contra a Terra, evitando, assim, que a população descubra a presença deles.

MACHU PICCHU: HERANÇA SAGRADA DO IMPÉRIO INCA

2

ENTRE MITOS E PAISAGENS PARADISÍACAS, A CIDADE PERDIDA DE MACHU PICCHU ENCANTA MILHARES DE TURISTAS COMO UMA DAS SETE MARAVILHAS DO MUNDO MODERNO

As misteriosas trilhas de Machu Picchu representam grande parte da história cultural do Império Inca. Descoberta em 1911 pelo antropólogo americano Hiram Bingham, essa civilização antiga viveu seu auge antes dos primeiros europeus chegarem à América. A arquitetura minuciosa das construções repletas de rochas atraem turistas de todo o mundo, em busca de apreciar monumentos de extrema riqueza histórica.

Durante a supremacia da população Incaica, a cidade foi estrategicamente levantada a 112 quilômetros da capital Cusco, que funcionava como a principal sede comercial e política do governo na época. Muitas teorias envolvem a função de Machu Picchu na sociedade. Alguns especulam que o local servia apenas como centro de estudos astronômicos e recintos para cultos religiosos. Já pesquisadores relatam o papel da cidade como uma importante metrópole que abrigava diversos nomes poderosos enviados pelos monarcas em uma estrutura de centro administrativo. Por sua posição completamente isolada, no topo da Cordilheira dos Andes, a 2400 metros de altitude, a comunidade escapou ilesa da ação violenta dos colonizadores.

ESTUDOS ARQUEOLÓGICOS

Logo após encontrar os vestígios deixados pelos habitantes do passado, o antropólogo Hiram Bingham conseguiu reunir cerca de 500 vasos de cerâmica e 200 modelos de outros objetos utilizados pelos habitantes

Shutterstock

As tradicionais lhamas no território de Machu Picchu

Shutterstock

Cidade perdida de Machu Picchu, uma das sete maravilhas do mundo moderno

do povoado. Cada evidência comprovou a ligação dos Incas com um sistema de proteção às figuras mais influentes da nobreza vigente, preservadas pela crença de proximidade com as divindades estabelecidas pela natureza. A visão do topo da montanha mostra todo o esquema de funcionamento de Machu Picchu em seus tempos de metrópole isolada. Especula-se, inclusive, que a escolha de criar uma cidade em uma estrutura tão elevada foi estrategicamente pensada para aproximar os humanos do céu. Não se sabe exatamente quando as atividades de Machu Picchu começaram, mas pesquisas geológicas indicam que por volta de 1000 a.C. já existia uma comunidade atuando na região ocupada atualmente por Cusco. O território tomado pela metrópole perdida do império estendia-se do norte do Equador até a região central do Chile.

CONSTRUÇÕES INCAS

Reuniões militares convocadas com o intuito de conquistar outras comunidades eram realizadas na cidade, de onde saíam todas as tropas da época. Após a chegada dos colonizadores espanhóis em 1532, o funcionamento do Império Inca passava por uma forte crise política agravada pela presença de invasores na maioria de suas províncias. Mesmo com os frequentes episódios de discordância, os europeus só conseguiram tomar o poder do Império quatro décadas depois, sem nunca encontrar Machu

Picchu. Até hoje é possível observar nas ruínas detalhes escolhidos pelos Incas na construção dos monumentos da cidade. Dentro de muitas casas, a arquitetura indica paredes feitas com estruturas de pedras encaixadas milimetricamente, sem o auxílio de nenhum tipo de argamassa.

Um dos pontos mais visitados pelos turistas é a rocha de Intihuatana, famosa por servir como método de localização temporal da sociedade. No local, celebravam eventos sagrados anuais e rituais astronômicos. Lendas afirmam ainda que o poder místico da pedra atraía diversos sacrifícios de animais e humanos. Outro monumento é formado pelo Templo das Três Janelas e pela Casa do Sacerdote. Cada detalhe do trabalho do ambiente impressiona pelo cuidado na edificação das estruturas. O Palácio do Inca hospedava os grandes líderes do império em visitas aos monarcas. Com vista para a parte leste de Machu Picchu, o local reúne vestígios semelhantes ao de hotéis luxuosos, abrigando quartos reservados, espaços de alimentação, banheiros e área dedicada aos empregados.

ATIVIDADES SOCIAIS

O território de Machu Picchu é dividido entre zonas rurais localizadas ao leste e extensões urbanizadas. Cada construção era limitada por muros de aproximadamente 400 metros de comprimento. Durante o período atuante da civilização, seus habitantes viviam principalmente de recursos

Ruínas da cidade perdida

Shutterstock

Monumentos formados por rochas em Machu Picchu

vindos de atividades ligadas à agricultura. Um dos trabalhos mais comuns na cidade era a plantação de milho. Como não havia lugares planos na subida da montanha, os agricultores precisavam construir áreas improvisadas nas encostas. Em todos os campos, a única água utilizada para irrigação era disponibilizada pela chuva. Os animais utilizados nos afazeres diários, como a lhama e a alpaca, eram domesticados antes de servirem como mercadoria.

ESPAÇO RELIGIOSO

Muitas lendas retratam Machu Picchu apenas como um local preparado pelos Incas para celebração de cultos religiosos. A entrada principal da civilização era representada pela expansão do Portal Sol. O ponto separava os espaços comerciais e agrícolas. Extremamente fiel às crenças, a população usava os animais para celebrar a fertilidade e alguns de seus templos simbolizavam a terra dos vivos e dos mortos. O espaço das divindades atuava em local separado para representar a supremacia do deus Sol, o mais popular entre os Incas na época. Diversos monumentos esculpidos em ouro eram usados para trazer a luminosidade solar aos espaços da metrópole como forma de respeito religioso. O Templo do sol possuía duas janelas posicionadas estrategicamente, marcando cerimônias durante a chegada dos primeiros raios solares do verão e do inverno.

DIVISÃO ELITISTA

Na área nobre da metrópole concentravam-se a família do imperador, soldados oficiais e sacerdotes convidados pela nobreza. O rápido aumento da população dificultava a produção de comida para todas as áreas da cidade. Tropas de lhamas traziam alimentos de comunidades vizinhas com o intuito de abastecer os moradores ricos. As pessoas mais humildes construíam suas casas na região mais baixa de Machu Picchu. Um dos grandes segredos para resistir aos efeitos colaterais da altitude era a plantação de folhas de coca, oferecida até hoje aos turistas durante a peregrinação. As dificuldades climáticas maltratam os visitantes, que são constantemente abordados por nativos vendendo alimentos e água ao longo do caminho. A quíchua, língua dos Incas, permanece sendo falada pela maioria dos moradores de Cusco, e muito deles utilizam este artifício para mostrar detalhes de sua cultura aos viajantes, cobrando pelo serviço.

ENGENHARIA CRIATIVA

Para construir os monumentos apenas com pedras encaixadas sem nenhum tipo de assentamento, os habitantes de Machu Picchu utilizavam rochas encontradas no solo da montanha, rica em diversos tipos de granito. As técnicas utilizadas pelos Incas para extrair o material do terreno envolvem o enchimento de fissuras naturais com água, aguardando que o líquido congelasse diante das baixas temperaturas noturnas e facilitasse o processo de extração das rochas. Pouco se sabe sobre a forma como os materiais eram transportados pela cidade. Na época de sua extinção, a civilização contava com cerca de 1.200 habitantes, número considerado baixo diante da grandeza da população do Império Inca, que contava com 12 milhões de pessoas. Embora existam muitas teorias sobre o declínio da população de Machu Picchu, a mais aceita por arqueólogos conta que a cidade foi tomada por uma grave epidemia de varíola. Atualmente, o sítio sagrado funciona cercado de cuidados especiais do governo peruano.

Trilha Inca percorrida até Machu Picchu

DO BRASIL ATÉ MACHU PICCHU

A logística não é das mais fáceis, no entanto, todos os turistas garantem que vale cada momento da viagem a uma das sete maravilhas do mundo. Conheça o trajeto:

Saindo de terras brasileiras, o viajante precisa pegar um avião para Lima, capital do Peru. Capitais como Rio de Janeiro, São Paulo e Porto Alegre oferecem voos sem escalas até Lima, com aproximadamente cinco horas de duração. Chegando a Lima é necessário pegar outro avião até o aeroporto internacional de Cusco. A viagem é de aproximadamente uma hora. Outra opção é pegar um voo até a Bolívia e seguir com o tradicional Trem da Morte para o Peru. O roteiro se tornou muito popular entre os mochileiros com menos dinheiro para a viagem. Caso escolha completar a rota de ônibus, o passageiro pode levar mais de 24 horas na estrada até chegar a Cusco.

Chegando à cidade de Cusco, o transporte até Águas Calientes, vilarejo mais próximo das ruínas de Machu Picchu, pode ser feito de ônibus ou de trem, em um trecho que percorre 96 quilômetros. As duas opções disponibilizam amplas janelas para que o turista possa apreciar a vista de pontos históricos durante o percurso.

De Águas Calientes até Machu Picchu o caminho é realizado em um micro-ônibus. A viagem leva cerca de 20 minutos até o parque que abriga o sítio arqueológico com as ruínas. Para os mais aventureiros, o melhor caminho é percorrer a trilha Inca, andando durante quatro dias acompanhando diversos monumentos construídos pela civilização.

Apesar dos sintomas causados pela altitude, como diarreia, náuseas e tontura, a vista e o conteúdo histórico tornam os 42 quilômetros percorridos recompensadores ao alcançar o topo da montanha. Chegando ao final da subida, leva-se ainda cerca de uma hora para visualizar a extensão das ruínas da cidade perdida.

AS LENDAS MILENARES DE RAPA NUI

3

EM UM DOS PONTOS MAIS ISOLADOS DO PLANETA, A SOCIEDADE FORMADA NA ILHA DE PÁSCOA DESENVOLVEU SEUS PRÓPRIOS CONCEITOS RELIGIOSOS RESULTANDO EM UMA GRANDE CRISE DE IMPACTO AMBIENTAL

Cada pedaço histórico da Ilha de Páscoa revela detalhes peculiares sobre todas as fases vividas pelo povo Rapa Nui. A civilização antiga emergiu em um dos territórios mais isolados do planeta baseada em inúmeros acontecimentos criativos para facilitar seu sistema independente de sobrevivência. Chamada de "umbigo do mundo" pelos habitantes nativos, a cidade perdida ocupa um espaço muito pequeno no Oceano Pacífico, localizado no caminho entre a América do Sul e a Polinésia. Embora pertença ao mapa chileno, o crescimento cultural da ilha está diretamente ligado aos costumes desenvolvidos pelos polinésios. O processo de apogeu e declínio da comunidade Rapa Nui representa para a sociedade atual a extrema importância de preservar os recursos extraídos de fontes naturais. Após várias pesquisas realizadas por etnógrafos, concluiu-se que as primeiras pessoas da ilha desembarcaram na praia de Anaken vindos de uma grande viagem marítima em barcos de casco duplo no início do século V. Especula-se ainda que os animais utilizados no sistema comercial e alimentar dos habitantes pascoanos foram levados até o local por tribos polinésias de passagem pela região.

ORIGENS ESPIRITUAIS

A trajetória da civilização impressiona por sua ligação com elementos religiosos. Grupos de antropólogos indicam que as icônicas estátuas moais foram construídas inicialmente para venerar os próprios antepassados. As imensas esculturas de madeira possuíam traços semelhantes a rostos humanos e simbolizavam a crença e o poder das dinastias compostas pelos habitantes do lugar. O trabalho manual era realizado próximo às crateras de um vulcão e transportado até altares construídos na beira do mar para celebrar as atividades religiosas de cada povoado do vilarejo. Pouco se sabe sobre as soluções que os moradores encontravam para descer suas obras gigantes até o local desejado. Cada imagem representava um integrante falecido das famílias em várias partes da ilha, criando uma espécie de competição sobre quem desenvolvia a escultura mais complexa artisticamente.

Alguns arqueólogos acreditam que os moais eram deitados de costas e empurrados nas pedras por um caminho que poderia se estender durante dias em distâncias de até 20 quilômetros. O método de deslocamento escolhido agredia severamente todas as árvores e pedras do terreno, pois as esculturas gigantescas esbaravam em várias partes do ambiente enquanto se locomoviam. Algumas delas chegavam a pesar 270 toneladas e tinham nove metros de altura. Os preceitos principais deste povo seguem preservados atualmente nas extensões remanescentes da Ilha de Páscoa. Aberta aos turistas, a região ainda impressiona visualmente pela beleza natural e a imensidão de suas esculturas, que atravessaram séculos.

Shutterstock

Feições desenhadas nas esculturas pelos habitantes de Rapa Nui

IMPASSE CULTURAL

Durante o auge da civilização Rapa Nui, os habitantes de outras ilhas da polinésia lutavam pelos domínios de cada território, dividido entre 12 comunidades. A dinastia perdedora do conflito precisava seguir rumo ao próximo ponto inabitado da ilha em embarcações precárias com poucos recursos. Acredita-se que a chegada das primeiras pessoas à Ilha de Páscoa tenha acontecido por volta do ano 900. As histórias nativas transmitidas oralmente pelos moradores da região afirmam que os pioneiros desembarcaram em uma expedição liderada pela figura de Hotu Matu'a, considerado o grande pai desta antiga civilização. Em uma ou duas canoas, o colonizador viajou acompanhado de sua esposa, seis filhos e mais alguns familiares. De sua terra natal trouxeram apenas pedaços de cana-de-açúcar, galinhas e ratazanas intrusas que invadiram a embarcação. A lenda conta que ele viveu como um grande rei do povoado, sendo substituído após sua morte por seus descendentes. Os moais feitos em homenagem aos membros desta dinastia estão virados de frente para o mar, como se ainda estivessem olhando pela ilha em algum outro plano espiritual.

SISTEMA FUNCIONAL

Em pesquisas recentes sobre a vegetação da Ilha de Páscoa, grupos de arqueólogos descobriram que a extensão territorial reunia uma grande área verde na época ativa da civilização Rapa Nui. Chegaram, até mesmo, a abrigar a maior espécie de palmeira existente no mundo. O clima era ameno na maior parte do tempo, porém, apontado como frio para os parâmetros

Shutterstock

Moais na região de Rano Raraku, na Ilha de Páscoa

da Polinésia. Além das lavas vulcânicas e da praia, a cidade possuía ainda uma floresta tropical com mais de 21 tipos de árvores. A população vivia em casas levantadas com madeira, folhas secas e palha. Em seus dias de glória, a sociedade Rapa Nui se abastecia de alimentos cultivados em suas terras.

GRANDES BANQUETES

Um dos alimentos mais consumidos pelos habitantes era a batata doce. Os vilarejos com mais recursos acumulavam grandes criações de galinhas. Na época, o animal era visto como uma importante moeda de troca, sendo abrigado em áreas cercadas por pedras em todos os lados. Estima-se que a comunidade chegou a ter mais de 15 mil pessoas produzindo comida em abundância. Além de muita disposição física, os trabalhos nas pedras precisavam ainda de cordas extensivas feitas com cascas de árvores para estruturar os monumentos. Em temporadas de verão, golfinhos e peixes apareciam no litoral, garantindo grandes banquetes aos habitantes de Rapa Nui. O período em que houve um aumento de alimentos naturais consumidos pelos nativos coincidiu com o auge da produção de moais, entre 1400 e 1600.

DIFICULDADES AMBIENTAIS

Com o passar do tempo, o aumento populacional desenfreado tornou-se um problema para a rotina da ilha. As constantes agressões ambientais praticadas contra as árvores durante a construção das estátuas moais diminuíram o número de aves e, consequentemente, o florescimento de novas plantas na floresta da região. O sistema de alimentação apresentava sérias dificuldades, acentuadas pela estrutura geográfica isolada do local. O clima ameno na maior parte do tempo deu lugar a uma longa temporada de inverno. As águas geladas do oceano dificultavam o aparecimento de peixes na região. Sem recursos, a população sofria também com os fortes ventos em torno das encostas de pedra. O momento difícil resultou na morte da maioria das árvores existentes na floresta. Diante da escassez de madeira e pedra, os moradores não conseguiam mais produzir varas de pescar feitas com as sobras do material utilizado nos moais. A extensão da Ilha de Páscoa ficou muito pequena para abrigar todos os seus habitantes de maneira confortável e diversas áreas de mata verde precisaram ser destruídas para abrir novos espaços de moradia. Sem conhecimentos específicos sobre a regeneração da vegetação destruída, eles acreditavam que tudo nasceria novamente em pouco tempo.

COLAPSO ANUNCIADO

A extinção da principal matéria-prima da ilha impactou a criação de canoas, construídas com madeira e usadas para pesca em locais mais afastados. Outros alimentos consumidos diariamente pelos moradores eram a carne de aves e de focas. Para cozinhar as refeições, queimavam lenha retirada da floresta. As gloriosas palmeiras também foram arrancadas, agredindo severamente o solo e deixando a terra exposta ao sol. Com o declínio das áreas férteis, muitos vilarejos começaram a passar fome, já que nada em torno deles crescia em plantações agrícolas. O fim do ecossistema de Páscoa gerou um clima de tensão entre a população, iniciando uma sucessão de guerras internas. A partir daí, métodos canibais entraram na rotina da civilização Rapa Nui.

Sem ter o que comer, os inimigos mortos no conflito tornavam-se a refeição da aldeia vencedora. O ato final consistia no derrubamento das estátuas moais do adversário, considerado o maior símbolo de humilhação na aldeia. Mesmo sem nenhuma estrutura social, a ilha continuou recebendo expedições em seu período de decadência. Pestes trazidas por visitantes europeus contribuíram para a morte de muitos nativos sem preparo imunológico para lidar com doenças modernas. Cada recurso natural disponível era disputado pelas dinastias sobreviventes de forma sangrenta. Famintos, eles hostilizavam os viajantes que desembarcavam por lá. Em 1862, traficantes peruanos de escravos sequestraram metade da população, aumentando ainda mais a crise existente.

Segundo registros divulgados por missionários, por volta de 1877 apenas 111 pessoas residiam na região da Ilha de Páscoa. O poder foi tomado por uma espécie de milícia, os Matatoas, que adotaram a crença em um deus diferente do dos nativos. As pedras consideradas sagradas, até então,

Um dos mais importantes costumes da civilização Rapa Nui era a peculiar escolha do líder soberano da comunidade. A 1600 metros de distância da Ilha de Páscoa, representantes das famílias mais influentes do vilarejo disputavam uma competição no mar da região. Vencia o competidor que conseguisse nadar todo o percurso e trazer intacto um ovo de andorinha ao ponto inicial.

passaram a ser utilizadas para impedir que rajadas de vento atingissem as plantações. Como sinal total de desrespeito, os invasores desenhavam características do corpo feminino e símbolos em homenagem aos homens pássaros nas esculturas moais remanescentes. A atitude agressiva era uma forma de substituir as figuras de antepassados pelas novas divindades. Sobreviventes de algumas aldeias precisaram ir morar em cavernas com o intuito de fugir do caos predominante na comunidade. As imensas imagens de pedra deram lugar a pequenas esculturas artísticas, Os moais kavakava, criados como reflexo da população daquele período, com costelas evidentes e rostos magros.

LENDAS DOS MOAIS

Muitas especulações envolvem a trajetória de Rapa Nui ao longo dos séculos. Alguns pesquisadores acreditam que a população sabia muito bem o que estava fazendo quando derrubou grande parte da floresta para construir novas casas. Segundo teorias, os habitantes da civilização eram, na verdade, engenheiros agrícolas muito talentosos. Os campos naturais recebiam frequentemente tratamentos de fertilização com substâncias

Shutterstock

Uma das áreas vulcânicas da Ilha de Páscoa

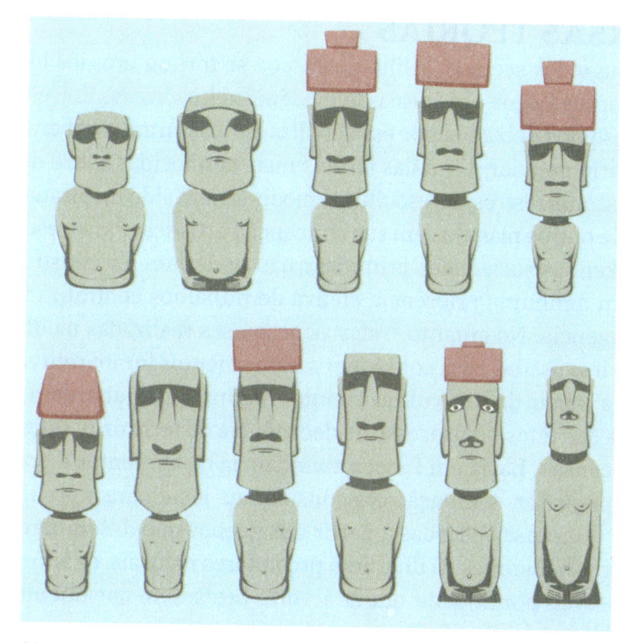

Diversas formas de estátuas moais construídas ao longo do tempo

extraídas de larvas vulcânicas. Embora os moradores de Páscoa tenham destruído áreas verdes no processo de urbanização, tiveram o cuidado de encaixar pastagens na extensão. Em um estudo realizado pela antropóloga Mara Mulrooney, uma série de evidências aborda a decadência do povoado apenas após a chegada definitiva dos colonizadores europeus, derrubando a ideia de que toda a estrutura sucumbiu diante da fúria da natureza.

EXPEDIÇÕES COLONIZADORAS

O nome Ilha de Páscoa foi dado pelo navegador holandês Jacob Roggeveen. Ao avistar a civilização na praia paradisíaca em um domingo de Páscoa em 1722, ele ficou impressionado com todos os elementos que formavam aquele cenário, especialmente as imensas estátuas moais. Imerso pela criatividade artística dos habitantes do local, decidiu batizá-lo em homenagem à data comemorativa. Na ocasião, o explorador relatou que cerca de 2.500 nativos receberam sua tripulação com cumprimentos calmos e gentis, ainda que vivessem em situação muito humilde. Durante mais de 150 anos após ser descoberta, pelo menos, outras 53 expedições vindas de vários cantos da Europa passaram pela Ilha de Páscoa. Quando o holandês chegou às terras de Páscoa, a civilização iniciou uma segunda fase rumo ao completo declínio causado por desastres naturais, guerras, doenças e sequestros. Toda a cultura oral e os primórdios de escrita foram perdidos a partir de 1864, após o início das atividades dos missionários com as crianças de Páscoa.

DIVERSAS TEORIAS

Ao longo dos séculos, a Ilha de Páscoa se tornou um dos locais preferidos de arqueólogos em busca de evidências históricas. Entre tantas lendas, os vestígios deixados por essa civilização passaram também a integrar o imaginário popular. Uma das teorias mais conhecidas sobre os Rapa Nui envolve extraterrestres. As esculturas moais teriam sido inspiradas na figura de seres de outros planetas em sua concepção artística. Para o escritor Erich von Daniken, as sociedades primitivas não poderiam ter construído tantas coisas sem nenhuma referência efetiva de trabalhos centralizados em força e inteligência. No entanto, todas as pesquisas realizadas na ilha indicam que as pedras usadas para construir os monumentos foram retiradas do solo do local, a partir de um vulcão extinto. Alguns mitos abordam também a influência dos ratos no processo de decadência do território. Durante o período de ascensão, havia em Páscoa abundância de alimentos e praticamente nenhum predador. A situação era considerada ideal para a proliferação em massa de ratazanas, surgidas a partir dos grupos que desembarcaram com os primeiros habitantes da ilha. Sem predadores naturais, os animais seriam os responsáveis por impedir que as árvores brotassem novamente comendo as novas plantas logo após seu aparecimento no solo.

PROBLEMAS ALTERNATIVOS

A falha do ecossistema na Ilha de Páscoa é atualmente apontada como exemplo para os excessos cometidos no mundo atual. Muitos estudiosos divergem sobre os motivos que desencadearam seu declínio, porém, nenhum deles deixa de relatar o perigo de utilizar recursos naturais sem um grande planejamento para evitar desequilíbrios. A versão mais aceita dos acontecimentos finais em Rapa Nui prega uma junção de diversas situações degradantes. Além da falta de conhecimento sobre recursos naturais, a população da ilha também foi explorada por seus colonizadores e sucumbiu ao desaparecimento da maioria de seus habitantes.

Estátuas moais de costas

RÉPLICAS DO PASSADO

Grupos de pesquisadores iniciaram, em meados de 1980, um programa intensivo sobre as formas como os moais eram construídos e transportados pela Ilha de Páscoa. Inicialmente, eles desenvolveram estátuas semelhantes às originais, praticamente com as mesmas dimensões de altura e peso, e tentaram empurrá-las pelas pedras utilizando ferramentas disponíveis no passado.

Durante a experiência, diante da dificuldade de transporte, concluíram ser impossível os moais terem sido levados para as áreas de cerimônias rolando pelas pedras. Em 1987, o arqueólogo americano Charles Love conseguiu mover uma estátua de 10 toneladas usando um veículo improvisado acompanhado por dois trenós semelhantes aos que podem ter existido durante o auge da civilização. Amparado por enormes cordas, ele e mais 25 homens conseguiram arrastar a réplica manualmente apenas por 46 metros durante dois minutos.

Dez anos depois, o aventureiro norueguês Thor Heyerdahl, acompanhado pelo engenheiro tcheco Pavel Pavel, construíram mais uma réplica para tentar remontar a rotina dos moais de Rapa Nui. Com cordas amarradas em torno da base, precisaram do auxílio de outras 16 pessoas para conseguir mover a escultura balançando de um lado para o outro em uma situação semelhante a passos humanos. Mais tarde, os norte-americanos Terry Hunt e Carl Lipo confirmaram o método transportando a estátua por mais de 100 metros usando as mesmas práticas.

Turista na Ilha de Páscoa

ILHA DE PÁSCOA HOJE

O território segue recebendo turistas vindos de todas as partes do mundo. Atualmente são cerca de 10 mil moradores trabalhando diretamente com a cultura local em épocas mais movimentadas pela presença de visitantes. As estátuas moais funcionam como um verdadeiro museu arqueológico a céu aberto. Por isso, o melhor período para conhecer a ilha é no verão, especialmente no mês de dezembro, quando o clima permanece ensolarado durante o dia e ameno após anoitecer. Os vulcões, que estão inativos há mais de dez séculos, compõem a paisagem da região servindo como referência histórica para os guias. Muitos arqueólogos também lideram excursões ao local em busca de vestígios das técnicas usadas na construção das antológicas esculturas de pedra.

O patrimônio remanescente da civilização Rapa Nui reúne 670 estátuas moais e 240 templos cerimoniais. Cada passeio pode ser feito de motocicleta, carro, a cavalo ou caminhando. De uma extremidade a outra da ilha, a distância é de 20 quilômetros. Em apenas quatro dias de visita, os turistas podem conhecer todos os pontos importantes da cidade perdida.

Para chegar até a Ilha de Páscoa, os visitantes têm algumas opções saindo do Brasil. De São Paulo, por exemplo, o viajante pode ir de ônibus ou em voo direto até Santiago. Da capital chilena é necessário embarcar em outro avião até a vila de Hanga Roa, local habitado na ilha com boas condições para pouso. Existe apenas uma opção de voo por dia, normalmente muito disputada por turistas.

A HERANÇA ARQUITETÔNICA DOS ANASAZIS

4

COM UMA TRAJETÓRIA REPLETA DE AVANÇOS, OS PRIMITIVOS ÍNDIOS AMERICANOS SUCUMBIRAM DIANTE DE PROBLEMAS NATURAIS E PRÁTICAS DE CANIBALISMO

Tribos do passado em rituais religiosos

Os índios Anasazis foram os primeiros habitantes do que se conhece hoje como a região do "four corners" nos Estados Unidos. Abrigando os estados do Colorado, Utah, Novo México e Arizona, o território proporcionou a ascensão social e cultural da antiga civilização. Embora não praticassem nenhuma atividade relacionada a técnicas de escrita, deixaram impressionantes vestígios arquitetônicos construindo prédios de até cinco andares, considerados gigantes no cotidiano da era primitiva. Suas principais atividades aconteceram por volta do ano 1200 a.C., resultando em dois monumentos classificados como patrimônio mundial da Unesco. Além dos trabalhos relacionados à construção civil, todos os vestígios encontrados mostram um cotidiano indígena baseado em técnicas de tecelagem, cerâmica e irrigação. Outro destaque dos Anasazis foi o desenvolvimento de estradas para ligar suas aldeias. Apesar de desconhecerem a roda e os serviços da metalurgia, o sistema possuía 650 quilômetros com até seis metros de largura em alguns trechos.

ANTIGOS INIMIGOS

Durante o período de ascensão, formou-se dentro da cidade um grupo de habitantes entre as regiões indígenas chamado de povo Pueblo. As evidências do passado não chegam a revelar com exatidão como as tribos antigas se autodenominavam. O nome Anasazi significa "povo antigo" e foi escolhido por sociedades posteriores para se referirem aos ancestrais ame-

Shutterstock

Monumento da região de Mesa Verde, no Colorado

ricanos. No idioma nativo dos índios o nome representa "antigos inimigos". Em seu auge, a comunidade reunia mais de 30 mil habitantes divididos entre uma grande rede de tribos constantemente adotando influências de diversas culturas. Cada localização possuía uma liderança independente, porém três aldeias se destacavam na expansão dessa civilização: Desfiladeiro Chaco, atuante no Novo México, Kayenta, no nordeste do Arizona, e San Juan, localizada no Colorado. A forma de vida igualitária dessas comunidades foi extremamente bem-sucedida durante mais de mil anos mediante acordos de paz entre as aldeias. Dependiam, sobretudo, da caça de animais, técnicas de agricultura e do comércio de milho com regiões vizinhas. Os habitantes se tornaram grandes especialistas no cultivo de alimentos priorizando práticas de sequeiro, construindo barragens para aumentar a produtividade, dependendo apenas de boas condições climáticas.

ARQUITETURA HISTÓRICA

De todas as construções levantadas pelos índios Anasazis, apenas alguns monumentos emblemáticos continuam em sua posição original. Arqueólogos responsáveis por estudar o território não sabem até hoje explicar a utilidade de muitas casas, estradas, torres e complexos de pedra. Os maiores espaços arquitetônicos projetados pelas tribos indígenas foram as casas construídas na parede rochosa do Desfiladeiro Chaco, em Novo México. A área de urbanização possuía cerca de 2.790 metros quadrados de desfiladeiros, planaltos e colinas em meio de vários vilarejos com edifícios que atingiam cinco andares distribuídos em 800 quartos.

Torres habitacionais levantadas pelos Anasazi

Diversos índios americanos se declaram descendentes dos Anasazis. Sem comprovações históricas, chamam a si mesmos de Puebloans em referência ao antigo povo Pueblo. Atualmente, eles acreditam que a civilização do passado não desapareceu, apenas migrou para o sudoeste criando uma nova população de indígenas nativos americanos. Pouco se sabe comprovadamente se existe continuidade histórica entre os habitantes indígenas nos Estados Unidos. Alguns estudiosos defendem que a ligação entre as tribos é apenas geográfica.

DESIGN AVANÇADO

Por volta do ano 750 a.C., ainda nos primórdios da engenharia, os índios começaram a desenvolver técnicas diferenciadas de arquitetura. Com métodos peculiares relacionados ao sistema de construções ergueram monumentos tão altos que só podem ser acessados hoje em dia por equipes de alpinistas. A partir disso, as cidades indígenas cresceram ainda mais em infraestrutura. Entre as construções levantadas nessa época estão torres imensas de pedras nos penhascos, observatórios circulares e conjuntos de apartamentos nos centros das comunidades. Até meados do século XIX essas estruturas eram consideradas as maiores obras de engenharia existentes em toda a América do Norte.

A era de ouro dos Anasazis aconteceu entre 900 e 1150, quando as cidades passaram a receber templos, mansões e celeiros. Toda a estrutura era semelhante à de grandes áreas cosmopolitas. Os edifícios, incluindo pontos famosos como o Monumento Nacional Bandelier, foram erigidos nesta fase com argamassas de cimentização esculpidas no calcário. Os centros, cada vez mais urbanizados, recebiam peregrinos e comerciantes vindos de outras regiões. Um dos grandes atrativos locais era a popular confecção de tapetes vendidos pelos povos indígenas.

CRENÇA KACHINA

As habitações dos complexos de Pueblo adotavam um sistema operacional conhecido como Kiva. Em aproximadamente 60 salas circulares situadas nas torres gigantes funcionavam centros industriais especializados em tecer algodão. Os grandes espaços abrigavam também cerimônias religiosas da cultura ancestral baseada na crença Kachina, envolvendo adoração a seres espirituais e danças típicas. Atualmente, diversas tribos remanescentes continuam praticando os mesmos rituais de seus antepassados. Os Ute, os Zuni, os Navajo e os Hopi são supostamente índios descendentes diretos dos Anasazis. A maioria das atividades da cidade antiga envolve uma série de estudos astronômicos. Alguns pesquisadores concluíram que edifícios cerimoniais localizados em Desfiladeiro Chaco serviam ainda como centros de aprendizagem sobre os ciclos da Lua, do Sol e das conjunções estrelares.

Shutterstock

Monumento da civilização Anasazi em Cedar Mesa, em Utah

Várias teorias sustentam que os povos Pueblo construíram uma espécie de rede de informações ligada a conhecimentos sobre a ciência dos astros, atraindo peregrinos de diferentes partes do continente americano. Em meados do século XII os membros mais influentes da civilização podem ter partido em busca de altitudes mais elevadas. Os motivos que os levaram a abandonar o local permanecem sendo um grande mistério para os geólogos. Especula-se que os nativos fugiram preocupados com sucessivas invasões violentas na região. Para eles, a solução ideal era constituir moradias em locais mais elevados para dificultar o acesso de seus inimigos.

MEIO NATURAL

Apesar de toda a ascensão social baseada na produção de comida em abundância, o solo americano, na época, não possuía boas condições para a agricultura. A região é marcada, há séculos, pelas condições áridas do clima, que torna grande parte do território deserto ou semidesértico. Os problemas de altitude também interferem no sistema de sobrevivência provocando invernos extremamente frios com neve cobrindo toda a extensão das terras. A diferença de temperatura entre as estações do ano dificultava também a criação de animais e as atividades de caça. As urbanizações impactadas culturalmente pelos Anasazis se estendiam pelos planaltos do Colorado, intercalado por rios e riachos. Os recursos naturais extraídos do solo reúnem materiais complexos, como arenito e rocha vulcânica. Acostumados com a rotina climática da região, os moradores sabiam utilizar todos os contratempos a seu favor plantando folhas de mandioca e dominando diferentes métodos de irrigação, chegando a negociar até com regiões da Mesoamérica, formada por áreas ligadas ao sul do México atual.

DIFERENÇAS COMERCIAIS

Ao longo dos séculos, a crescente exploração dos recursos naturais começou a provocar períodos extensos de seca no território. Antes mesmo da chegada dos europeus, a população já atravessava períodos de dificuldades. Nesse momento começaram a surgir divisões de tribos baseadas em recursos monetários e influência de liderança. Ainda que estivessem acostumados com situações adversas, os Anasazis não sabiam lidar com problemas considerados fatais. Diante das mudanças climáticas extremas causadas pelo excesso de desmatamento, os recursos naturais foram se tornando cada vez mais escassos. Toda a vegetação foi derrubada para a construção de novas moradias após o aumento da população. Apavorados, os membros da elite se isolaram para garantir que seu modelo de vida não fosse alterado durante o que eles consideravam ser apenas uma crise.

TEORIAS DE EXTINÇÃO

Como a civilização não conhecia a escrita, torna-se praticamente impossível afirmar com exatidão o motivo do declínio dos Anasazis. Ainda que os problemas relacionados à natureza fossem arrebatadores, muitos pesquisadores afirmam que uma sucessão de guerras internas, iniciadas pela disputa de recursos naturais ainda existentes, pode ter aumentado ainda mais o momento de caos. O crescimento populacional desenfreado e constantes impasses políticos também tiveram influência no processo de migração ocorrido naquela época. No entanto, a versão mais aceita por estudiosos remete a falhas no ecossistema da região, causadas pela exploração de diversas áreas da natureza local. A última seca grave entre tribos indígenas aconteceu supostamente em 1275, durando longos 14 anos. Quando os espanhóis chegaram ao sudoeste americano, no século XVI, já não havia mais vestígios do império levantado pelos índios nativos.

PRÁTICAS DE ANTROPOFAGIA

O paleoantropólogo da Universidade da Califórnia, Timothy White, encontrou evidências de atividades canibais entre os habitantes do sítio de Mancos, localizado na fronteira do Colorado com o Novo México. Entre homens, mulheres e crianças, cerca de 30 pessoas foram esquartejadas e tiveram seus restos mortais preparados como refeição em recipientes de barro. O ato aconteceu por volta do ano 1200, possivelmente ocasionado por conflitos internos agravados pela escassez de alimentos. As pesqui-

Shutterstock

Desenhos antigos nas regiões povoadas pelos índios Anasazis

sas encontraram marcas de queimaduras em todas as partes dos ossos, inclusive polimentos nas pontas causados pelo atrito com o barro enquanto eram cozidos. Os Anasazis podem ter recorrido à antropofagia com frequência em seus anos finais.

ATUALIDADE INDÍGENA

Grupos indígenas contemporâneos do território americano acreditam ser impossível que os Anasazis tenham abandonado suas cidades no passado. Considerados herdeiros da cultura ancestral, realizam regularmente grandes expedições aos estados onde as civilizações perdidas se estabeleceram. As viagens buscam uma maior identificação entre os rituais e a preservação da história oral de povos extintos. As características predominantes dos Anasazis permanecem ativas por meio da disseminação de sua cultura e de estudos da língua nativa. Apesar de não existirem evidências que comprovem as ligações das tribos atuais com as comunidades perdidas, seus líderes preservam sua história e se orgulham de seus grandes avanços. Testemunhos de conquistadores espanhóis também contribuíram para importantes descobertas sobre os costumes dos antepassados indígenas. Atualmente, a maior população de ameríndios são os Cherokees, originados da nação chamada de Iroquois.

A VIOLÊNCIA RELIGIOSA DA SOCIEDADE MOCHICA

5

PARA MANTER O CONTROLE E A HEGEMONIA DE SEU GOVERNO DIANTE DO POVO, OS COMANDANTES DESSA CIVILIZAÇÃO PERUANA REALIZAVAM CONSTANTES RITUAIS DE SACRIFÍCIOS HUMANOS

Muito antes de o Império Inca dominar o território peruano, a civilização Moche, chamada também de Mochica, já ocupava aquela região com atividades artísticas, religiosas e sangrentas. Com um sistema de liderança baseado em uma forma centralizada de governo, surgiram por volta do ano 95 a.C., na região de Trujillo, na costa norte do Peru. Apesar das condições desfavoráveis, típicas do clima desértico do local, alguns pesquisadores acreditam que a sociedade conseguiu conviver durante um longo período amistosamente com as alterações da natureza. Extremamente criativos, os nativos trabalharam no desenvolvimento arquitetônico da cidade antiga construindo pirâmides gigantes, consideradas monumentos históricos atualmente. Uma das obras mais complexas é o Templo do Sol, projetado em homenagem às crenças religiosas, com mais de 50 milhões de tijolos. Eram também sábios metalúrgicos, e agradavam a nobreza com a produção de artefatos de cobre e ouro. Muito utilizado em peças de decoração, na época, o dourado representava poder e riqueza nas tradições do passado.

VARIEDADE ALIMENTAR

A sociedade era constituída por vários grupos independentes, que dividiam fielmente as mesmas tradições culturais. O cultivo de terras era uma das principais fontes de produção de alimentos dos moradores, que por meio de complexos métodos de irrigação cultivavam batata, milho e feijão em grande escala. Verdadeiros banquetes de frutos do mar garantiam diferentes tipos de nutrientes no cardápio dos habitantes, fornecendo energia para cumprir as atividades diárias. As lhamas serviam como meio de loco-

Shutterstock

Detalhes de desenhos narrativos feitos pelos Mochicas em um mural encontrado na região de Huaca de la Luna

ORIGEM DO NOME

Os Mochicas foram batizados como forma de homenagear o Rio Moche, localizado no norte do Peru. Em 1899, o alemão Max Uhle encontrou as primeiras evidências que comprovavam a existência da civilização nessa região. O nome significa "santuário" na língua nativa andina, atualmente extinta.

moção e, em algumas situações, completavam as refeições. Mesmo desaparecendo mais de mil anos antes dos primeiros passos dos líderes Incas, muitos estudiosos consideram as características adotadas pelos Mochicas as principais influências que levaram a sociedade posterior a erguer um poderoso império. Como o clima desértico sobressaía na maior parte do ano, a água era valorizada como um item precioso pelos agricultores, que dependiam dos rios em torno da Cordilheira dos Andes para sobreviver.

RELAÇÕES POLÍTICAS

Mesmo praticando tantas atividades avançadas em uma era primitiva, os Moches não dominavam nenhuma técnica de escrita. Seus principais registros foram retirados de desenhos esculpidos em peças de cerâmica. Inicialmente, todo o poder político e religioso estava nas mãos de um líder espiritual denominado Ai-Apaec. A figura do soberano era vista como uma espécie de divindade entre os habitantes da cidade, que promoviam diversos cultos de adoração em sua homenagem. Em meados do ano 50, o falecimento do líder levou ao comando grupos de sacerdotes atuantes em guerras, conhecidos localmente como lordes Mochicas. O novo governo fundou uma confederação que transformou prontamente toda a extensão territorial de 400 quilômetros em vários núcleos de estados governamentais. Ainda que fossem igualmente rigorosos com seus inimigos, as medidas adotadas pelos lordes trouxeram diversas melhorias para a população. Durante esse período, a principal comunidade mochica, localizada no vale do Rio Moche, alcançou 15 mil habitantes. A estrutura administrativa da época priorIza o domínio militar, religioso, econômico e político. Em vários aspectos, a liderança dos sacerdotes pode ser comparada à administração dos faraós, no Egito antigo. A decoração ostensiva dos palácios e a crença na vida após a morte de seus soberanos são as maiores semelhanças que identificam os limites entre religiosidade e política.

MARAVILHAS ARTÍSTICAS

Com técnicas minuciosas, os artesãos da região eram incrivelmente talentosos. Foram os primeiros na América do Sul a utilizarem moldes no processo de fabricação de suas obras e inspiraram vários métodos contemporâneos de estudos artísticos. Rigorosamente fiéis aos traços huma-

Ruínas da sociedade Mochica em Trujillo, no Peru

nos, contaram muito de sua história por meio de desenhos retratados em suas peças de cerâmica. O estilo mochica de produção é chamado atualmente de huaco-retrato dentro de escolas clássicas de arte. A metodologia peculiar surgiu no século V na cidade de Huaca de la Luna. Os mais populares são os vasos de formato alongado que mostram o dia a dia dos habitantes moches, inclusive relatando cenas de sexo explícito. Ainda que completamente originais, os utensílios de cerâmica da sociedade foram influenciados pela arte produzida por civilizações residentes na Amazônia e em outros pontos da Cordilheira dos Andes. Uma série de especialistas classificam as produções da comunidade andina como as obras mais belas criadas na antiguidade.

A maioria dos moradores da região se ocupava com obrigações do campo e, quando a economia ia bem, aproveitava o bom momento para fabricar produtos artísticos, típicos do povo local. O ambiente seco do deserto contribuía para a construção de murais ilustrando as principais tarefas efetuadas pelos Moches em desenhos que renderam diversas histórias mitológicas. A disseminação dos produtos criados pelos artistas iniciou uma grande rede de comércio, expandindo ainda mais as conquistas do território.

Qualquer artefato de ouro era valorizado como raridade pelos nobres e poderosos Mochicas. Para deixar tudo o que produziam com aspecto dourado, os artistas da região mergulhavam os itens de cobre em uma substância desenvolvida a partir do ouro original misturada com pequenas quantidades de bicarbonato de sódio e outros sais.

CRENÇAS RELIGIOSAS

Os Mochicas misturavam conceitos religiosos e políticos. A figura do Ai-Apaec, tida como deus supremo de todos os nativos, desenvolvia uma doutrina inspirada pela natureza dualista. Os líderes eram responsáveis, na visão do povo, por garantir a ordem social e o equilíbrio das questões materiais. Para conquistar os poderes espirituais e demonstrar coragem como comandante, Ai-Apaec participava de uma batalha sangrenta contra um puma. O animal selvagem representava, segundo a cultura andina, todos os sentimentos impuros causadores da desordem no mundo. Nos rituais tradicionais, o soberano precisava consumir sangue humano para que suas forças se multiplicassem e pudesse vencer o confronto. As ofertas de sacrifícios eram feitas com sangue de prisioneiros capturados durante invasões a outras terras após um longo período de tortura. Os governantes posteriores viviam como verdadeiras divindades. Durante os rituais nas cidades, os súditos espalhavam sulfato de mercúrio pelo chão para que os soberanos não pisassem diretamente no solo. A hierarquia dos Moches estava definida no domínio absoluto do rei, seguido pela autoridade dos sacerdotes e, por último, os guardas militares.

RITUAIS VIOLENTOS

As tradições culturais Mochicas reuniam diversas cerimônias de sacrifícios. Uma das mais curiosas está relacionada ao surgimento do fenômeno atmosférico El Niño, que promovia verdadeiras chacinas. Toda a violência instituída na rotina da comunidade aumentava o poder dos líderes e intimidava cada vez mais a população comum. A filosofia religiosa da época pregava que a única forma de conter as drásticas mudanças climáticas, típicas da região, era oferecendo sangue humano como sacrifício. Enquanto o El Niño permanecia em atividade, os Mochicas se assustavam com a frequência de chuvas torrenciais e enchentes. Para qualquer situação existia um ritual de homenagem ou adoração às divindades da natureza representadas pelos soberanos. A guerra travada entre as cidades do território aconteciam no deserto, com os derrotados sendo exibidos acorrentados em praça pública antes de serem torturados por vários dias nos templos de sacrifícios em um local secreto. O prisioneiro morria degolado pelos líderes e em seguida seu sangue era guardado para consumo e trabalhos de oferenda. Entretanto, toda a hegemonia do poder Mochica começou a desaparecer por volta do ano 500.

DECLÍNIO MITOLÓGICO

Como aconteceu com praticamente todos os povos que ocuparam a região dos Andes peruanos, estudiosos encontram grandes dificuldades para comprovar eventos históricos dos Mochicas. Pouco se sabe até hoje sobre os motivos do desaparecimento desta metrópole, o que resultou em uma sucessão de lendas transmitidas ao longo dos anos. As principais evidências foram encontradas, em 1955, pelo arqueólogo americano Steve Bourget, na extensão territorial de Huaca de la Luna. Milhares de ossos foram catalogados durante dois meses após as escavações para identificar os movimentos praticados nos rituais e, assim, desvendar como os habitantes passaram seus últimos anos. Ao que tudo indica, longas temporadas de chuvas, extremamente raras no deserto, anunciariam a chegada do El Niño. Foram mais de três décadas com inundações diárias na costa, seguidas por outros 30 anos de seca. A escassez de recursos aumentou ainda mais a violência entre os Mochicas que agora, além dos rituais, ainda duelavam pelos poucos espaços remanescentes do solo. Com o tempo, os sacrifícios passaram a ser desacreditados pela civilização, já que as oferendas não impediram as tragédias climáticas. Muitos sacerdotes chegaram a ser assassinados nesse período por não terem conseguido salvar suas terras. Já no final do século VIII, as últimas cidades da região foram abandonadas, encerrando a supremacia dos Moches.

A ASCENSÃO METEÓRICA DOS ACÁDIOS

6

PARTE DOMINANTE DO PRIMEIRO IMPÉRIO DA MESOPOTÂMIA, A CIVILIZAÇÃO CRIOU O MODELO DE CIDADES-ESTADOS EM APENAS DOIS SÉCULOS DE EXISTÊNCIA

A história do povo acádio está diretamente ligada à influência social conquistada pelos sumérios, conhecidos como a primeira civilização da humanidade. Por volta do ano 2250 a.C., tribos de nômades vindos da região desértica da Síria invadiram o território pertencente, até então, à Suméria. Com dificuldades de expansão comercial em sua terra natal, os imigrantes buscavam um ambiente que oferecesse melhores condições de recursos naturais para desenvolver uma nova civilização. Os dois exércitos travaram sangrentas batalhas por cada pedaço da cidade. Apesar de possuírem uma cultura completamente desenvolvida funcionando a partir de um sistema de metrópole, a política suméria sucumbiu diante de sua própria desorganização interna. Comandantes extremamente vaidosos e longos impasses sobre estratégias de guerra facilitaram a vitória dos acadianos. Em pouco tempo, as tropas dominaram grandes centros urbanizados da região, disseminando novos costumes religiosos e sociais entre os habitantes.

MODELO DE ESTADO

Após a chegada do soberano da cidade de Uruk, Lugal-zage-si, em 2375 a.C., as duas populações passaram a conviver de forma harmoniosa na maioria dos vilarejos, sendo unificadas por decisões políticas. Com crenças e objetivos extremamente semelhantes, formaram o primeiro império da Mesopotâmia. A partir de 2330 a.C. o programa de governo da região desenvolveu importantes modelos de cidades-estados. Liderado pelo rei Sagrão I, o crescimento do modelo administrativo semita transformou o território de Acádia na capital do antigo império. A extensão geográfica,

Ilustração de habitantes do império mesopotâmico no rio Tigre

que atualmente pertence ao Iraque, e a cidade de Acad são as principais responsáveis pelo nome dado oficialmente à civilização antiga, conhecida também como sumério-acadiana. Cada espaço era utilizado como uma forma de contemplar os deuses, transformando os homens em meros instrumentos para servi-los. Toda a estrutura cultural da sociedade estava baseada na construção de templos e palácios.

PRÁTICAS RELIGIOSAS

Vivendo em torno de crenças politeístas, os acadianos adoravam diversos deuses e os animais como seres supremos em uma série de rituais religiosos. A figura do rei era considerada uma espécie de divindade, e até mesmo depois de sua morte a devoção dos súditos permanecia intacta. Mesmo dominando a maior parte do território, alguns líderes acadianos ainda pagavam taxas para sumérios donos de vilarejos importantes das cidades. O acordo garantia a convivência pacífica dos povos, dividindo o poder e a influência na organização dos assuntos referentes à comunidade. Com os avanços conquistados pelo modelo antigo de metrópole, a região comandada pelo império chegou a cobrir todo o Mar Mediterrâneo e a Anatólia.

REINADO UNIVERSAL

Cuidando de toda a estrutura administrativa das cidades, o rei dominava assuntos políticos e institucionais. O sistema era baseado em um estado centralizador, e o povo participava de convocações militares para defender seu império. O soberano era considerado pelos moradores como um descendente direto dos deuses, sendo eleito o rei de todo o universo. Muitas atividades dos sumérios foram preservadas durante o império, como o oferecimento da construção dos templos, chamados de zigurates, e dos trabalhos agrícolas aos deuses. Os alimentos produzidos representavam grande parte da economia acadiana, auxiliada pelo clima da região e as cheias dos rios Tigre e Eufrates. Como na época não existia nenhuma forma de moeda, a cevada era muito usada para conseguir produtos difíceis de encontrar na região. Avançadas técnicas de recursos hídricos também faziam parte do dia a dia dos habitantes. Armazenavam água para possíveis períodos de secas e aprenderam a aproveitar as inundações próximas aos rios. Criaram aproximadamente 12 cidades-estados no território, entre elas, Quish, Nipur e Lagash.

REVOLUÇÃO URBANA

Todas as áreas das cidades-estados possuíam trechos especiais destinados apenas ao cultivo agrícola. Cada polo se destacava dos outros núcleos urbanos, sendo controlados por sacerdotes em parceria com grupos de anciãos respeitados pela nobreza vigente no território. Os comandantes das áreas favoráveis à agricultura eram chamados de pastesi e recebiam dos líderes monarcas diversas obrigações sociais, como cobrança de impostos, a organização dos moradores das comunidades, o controle das atividades do exército, a administração dos templos e a fiscalização da construção das obras hidráulicas. Tudo o que se relacionava às terras era realizado de maneira livre pelos moradores já que, segundo as tradições religiosas, as propriedades pertenciam aos deuses cultuados por todos. O desenvolvimento da escrita cuneiforme pelos sumérios permitiu aos negociantes acadianos vender produtos para outras civilizações e aprimorarem uma vasta produção literária repleta de mitologias ao longo dos séculos.

INVASÕES CONFLITUOSAS

Em aproximadamente 2150 a.C., a sociedade dos acádios começou a ser desconstruída. Seu período de atuação (dois séculos) foi relativamente curto em relação a outras civilizações perdidas. Localizados em um território favorável ao florescimento de recursos naturais, sofreram diversas tentativas de invasão durante seu auge. Munidos de armamentos considerados avançados no contexto histórico daquela época, seus líderes desenvolveram técnicas militares utilizadas em conflitos contra povos de outras regiões. Ainda que estivessem completamente preparados para defender suas terras, não resistiram aos ataques organizados constantemente pelos nômades Gutis. Vindos da Armênia, os asiáticos aproveitaram-se da fraqueza política instaurada entre os acádios após a morte do rei Sargão I. Seu falecimento trouxe uma grave crise de poder na comunidade, ocasionando diversas revoltas internas. Os invasores formaram um forte esquema estratégico para dominar todas as cidades do império Mesopotâmico. Além do difícil momento político, as sucessivas invasões enfraqueceram os líderes do território. Apenas a cidade de Ur conseguiu enfrentar os guerreiros Gutis e sobreviver à tentativa de dominação. Por volta do ano 2000 a.C., praticamente toda a região construída pelos acádios já estava tomada pelos povos elamitas.

IMPÉRIO BABILÔNICO

Entre os invasores da Mesopotâmia, os que mais se destacaram historicamente foram os grupos Amoritas. Originados no deserto árabe, participaram de uma série de batalhas até se estabelecerem na cidade de Babilônia, na região da média Mesopotâmia. Em torno do século XVIII a.C., o rei Hamurabi formou o primeiro império babilônico, unificando todas as cidades-estados do território. Em pouco tempo, o local se transformou em um influente centro urbano, conhecido pelas avançadas construções arquitetônicas. A civilização foi citada na Bíblia

Shutterstock

Torre de Babel, monumento histórico citado na Bíblia, supostamente, localizada entre os rios Tigre e Eufrates, na Mesopotâmia, onde viveu a sociedade dos acádios

por ter erguido o monumento Zigurate de Babel, idealizado como uma torre para levar os habitantes ao céu. Viveram com um rígido código penal em que se estabeleceu a política do "olho por olho, dente por dente", causando inúmeros crimes motivados por vingança e interesses pessoais. Sob o comando do imperador Nabucodonosor II, a sociedade conquistou o povo hebreu e a cidade de Jerusalém. Após uma invasão organizada pelos Persas, em 539 a.C. o território foi dominado pelo forte exército comandado pelo lendário rei Ciro, conhecido como O Grande em sua terra natal.

O primeiro documento registrado como uma constituição penal foi escrito na língua acadiana, baseado na escrita cuneiforme, que já chegou a ser usada por todo o Oriente Médio. Elaborado no Estado Amorita após a extinção do império sumério-acadiano, foi batizado como Código de Hamurabi, em homenagem ao rei da Babilônia de mesmo nome. O conjunto de leis esteve ativo por volta do ano de 1772 a.C., sendo encontrado por expedições arqueológicas em 1901 na região da Mesopotâmia.

GUERREIROS ASSÍRIOS

Outra civilização importante da Mesopotâmia foi a Assíria. Emergentes após o fim da primeira fase do território comandado pela Babilônia, atuavam seguindo as leis do código desenvolvido pelo antigo soberano da região. Subordinados à autoridade do rei viviam praticamente em regime escravo, sendo vendidos como mercadoria junto de suas terras, devendo respeito aos vilarejos dominantes. Entre as cidades mais importantes naquele momento estavam Nínive, Assur e Nimrod, todas obedientes às normas administrativas do território. O soberano era considerado uma divindade entre os humanos e, por isso, mantinha o máximo de distância que podia da população. Temente às crenças religiosas, o monarca praticava extensos jejuns e conversava apenas com figuras importantes do palácio. O exército local, considerado cruel e implacável, possuía tecnologias bastante modernas para aquele período, como o uso de ferro nos armamentos e cobre. Em seus dias de glória, chegaram a controlar o Chipre, o Egito e todas as cidades da Mesopotâmia. Invasões de diversos povos e a independência do Egito contribuíram para a extinção dessa civilização, que possuía grandes falhas administrativas. Os caldeus tomaram a cidade de Nínive, pondo fim a todas as culturas remanescentes do império babilônico.

Shutterstock

Ruínas localizadas na região da Assíria

Sinais utilizados na escrita cuneiforme

CONHEÇA A ESCRITA CUNEIFORME

Desenvolvidos pelos sumérios, os sinais começaram a ser usados aproximadamente em 3500 a.C. Extremamente enigmáticos em seus primórdios, os símbolos da escrita são representados por desenhos de objetos em formato de cunha. A população escrevia normalmente em tabuletas ou placas de argila, que desaparecia com o tempo. Para textos permanentes, levavam as peças a fornos, marcando os registros. O alfabeto cuneiforme possuía mais de 2 mil sinais, tornando o trabalho dos pesquisadores ainda mais difícil na hora de decifrá-los.

Inicialmente, apenas os membros mais influentes da sociedade, como nobres, sacerdotes e donos de terras, aprendiam a se comunicar por meio da escrita. A população comum foi adquirindo a técnica à medida em que surgiam necessidades econômicas e comerciais. O recurso auxiliava na administração de registros de bens, cálculos de vendas, aumento de plantações e em heranças de artefatos valiosos.

Com o passar do tempo, povos de todo o território da Mesopotâmia dominavam a escrita cuneiforme, registrando suas rotinas de trabalho e até mesmo alguns pensamentos em forma de diário. A expansão da técnica rendeu diversas mudanças no estilo original, para que todas as pessoas pudessem aprendê-la. No entanto, os habitantes mais humildes apresentavam muitas dificuldades em compreender os sinais.

Em meados do século XX foram encontrados os primeiros registros que comprovavam a existência da escrita cuneiforme. Para decifrá-los, precisaram de uma grande equipe que também fosse fluente em hebreu e árabe. A tradução foi realizada combinando as semelhanças encontradas entre os sinais de todas as línguas. Os moradores da Mesopotâmia, em diferentes épocas, deixaram o maior número de registros históricos da escrita, comprovando a importância da técnica em sua civilização.

O IMPÉRIO AGRÍCOLA DE TIWANAKU

7

ENTRE MILHARES DE VESTÍGIOS ARQUEOLÓGICOS, A SOCIEDADE ANDINA REVELA MUITO DE SUA BEM-SUCEDIDA HISTÓRIA, QUE DUROU MAIS DE CINCO SÉCULOS

Monumento Porta do Sol, que representa o calendário solar

Considerada uma das principais civilizações da antiga América do Sul, a cidade de Tiwanaku impressiona por cultivar uma série de feitos históricos ao longo dos séculos. Localizado próximo ao lago Titicaca, o território abriga uma grande extensão geográfica a 72 quilômetros de La Paz. O ponto inicial está centralizado no sul peruano, abrangendo os Andes da Bolívia e contornando partes vizinhas do Chile. Popularmente conhecido como um poderoso império agrícola, a sociedade iniciou suas atividades em aproximadamente 400 a.C., alcançado o auge entre o ano 500 e 900 da era Cristã. Atualmente existem apenas ruínas de monumentos importantes no local, o que contribui para o surgimento de lendas sobre a forma como viviam os habitantes da comunidade. Com um sistema administrativo muito eficiente, Tiwanaku foi a metrópole que esteve em funcionamento por mais tempo em todo o continente, durando mais de 500 anos. Uma das características mais admiradas desse povo é sua extensa criatividade em trabalhos ligados à arquitetura e engenharia de construção. Toda a área remanescente do sítio arqueológico é considerada patrimônio da humanidade pela Unesco desde o ano 2000, sendo administrada pelas autoridades bolivianas.

CONCEITOS MORAIS

A formação do império representou um significativo papel que serviria como influência em cidades andinas posteriores. Orientada por fortes conceitos morais, a civilização construiu uma metrópole bem-sucedida nos aspectos cultural e político. Transformaram as dificuldades do árido planalto da região em campos de solo fértil, garantindo uma economia equilibrada. Os terraços moldados para as plantações favoreciam o crescimento da agricultura com produções constantes e em grande escala. Com uma população estimada entre 30 e 40 mil pessoas, Tiwanaku era um grande centro administrativo dominado pelo poder centralizado. Além das construções públicas, os moradores também criavam soluções engenhosas para os problemas hídricos enfrentados durante períodos de secas prolongadas, alternados com tempestades que duravam dias. Em torno do principal monumento erguido na época, a pirâmide de Akapana, pesquisadores encontraram diversos canais funcionais para o escoamento das águas vindas direto do rio em períodos de cheias.

ASTRÔNOMOS RENOMADOS

Grandes estudiosos da cosmologia, chegaram a desenvolver um conceituado centro de referência sobre o assunto, recebendo peregrinações de pesquisadores vindos de vários lugares. Muitos arqueólogos afirmam que é praticamente impossível definir um número exato para a população de Tiwanaku, tendo em vista que os recursos tirados do solo fértil sustentavam praticamente todas as famílias nativas e também muitos visitantes, que acabavam ficando em definitivo. O sistema administrativo da comunidade produzia também cobre, com o intuito de conquistar vantagens em

Shutterstock

Ruínas do sítio arqueológico de Tiwanaku

confrontos militares. Em seu período de expansão, a civilização utilizava sua independência na produção de alimentos e as vantagens territoriais para firmar acordos comerciais com os integrantes das colônias. Sem auxílios tecnológicos, acreditavam estar no centro da Terra. Algumas histórias mitológicas dizem que os moradores da comunidade viviam cerca de 120 anos. O segredo da longevidade estaria na alimentação, repleta de carnes, batatas e peixes.

CONSTRUÇÕES IMPACTANTES

Adotando um estilo peculiar de arquitetura e engenharia, os moradores da região idealizaram verdadeiros monumentos megalíticos. Por mais de cinco séculos, a capital administrativa de Tiwanaku projetou edifícios com pedras extremamente ordenadas e minuciosamente talhadas. Entre as principais ruínas remanescentes no local estão as pirâmides Puma Punku, Kantatalitta e Kerikala. Muitos estudiosos acreditam que a civilização tenha criado o primeiro modelo de estado sul-americano. As péssimas condições do sítio arqueológico levaram o governo boliviano a iniciar um longo processo de restauração da área histórica. Ainda que tenham seguido os traços arquitetônicos sugeridos pelos vestígios deixados pelas construções originais, não se sabe se os novos monumentos são exatamente fiéis ao estilo Tiwanaku. O processo de restauração foi dificultado por não existirem registros concretos dos primeiros estudos na área. A degradação das ruínas foi causada por inúmeros saques, realizados em busca de artefatos preciosos durante escavações amadoras, desde o declínio da população. A partir do início do século XX, o território desativado serviu como campo de treinamento de tiro para equipes militares. O estado deteriorado das rochas deve-se também à construção de uma ferrovia no mesmo período. Grande parte das obras em Tiwanaku era erguida de maneira aleatória, com blocos parecidos, sendo idealizadas para atender diferentes situações. Somente depois de concluída, a construção tinha sua utilidade definida para os moradores. O trabalho dos pesquisadores tornou-se ainda mais difícil pelas inúmeras mudanças de denominação dos locais da cidade. Além do parque arqueológico aberto à visitação, a região também possui atualmente museus de lítico e cerâmica.

VESTÍGIOS ARTÍSTICOS

Como a maioria dos povos da antiguidade, os moradores de Tiwanaku contaram muito de sua rotina por meio de esculturas espalhadas pelo território e cerâmicas artísticas. O monólito de Bennett, atualmente localizado no museu lítico da cidade, possui sete metros de altura e cerca de 20 toneladas. A escultura é considerada a maior peça antropomórfica remanescente de todas as culturas andinas. Pouco se sabe sobre o real significado do monumento. Alguns acreditam ser um guerreiro antigo. Já os mais religiosos afirmam que se trata de uma homenagem à deusa Pachamama, uma das filhas da divindade soberana em Tiwanaku, conhecida como o criador Viracocha. A estátua faz referências a diversos temas relacionados ao dia a dia da comunidade, como agricultura, astronomia e cultivo de peixes. Em uma das mãos, o monólito está segurando uma espécie de símbolo de poder político, representando os líderes sociais e sacerdotes da região. Nos museus de Tiwanaku se destacam diversas esculturas com múltiplas cabeças e outros monumentos estruturados em rochas gigantescas. As cerâmicas artísticas evidenciavam feições humanas com características orientais.

RITUAIS RELIGIOSOS

As crenças adotadas pela população de Tiwanaku giram em torno da divindade Viracocha, chamada também de Huiracocha. De acordo com os conceitos religiosos, o ser espiritual é considerado o grande mestre do mundo, sendo responsável pela criação das pessoas e de todas as coisas ligadas à natureza. Os rituais em sua homenagem estavam diretamente relacionados ao florescimento das colheitas e ao revezamento das estações climáticas. Somente os nobres e líderes da cidade participavam dos eventos, por acreditarem que se tratava de estudos intelectuais que dificilmente seriam compreendidos pelos camponeses humildes. A mitologia estabelecida pela doutrina dividia o universo em três partes: o mundo de cima, no qual existiriam seres divinos e celestiais, o mundo atual, formado por seres humanos, e o mundo subterrâneo, local de destino das almas dos ancestrais já falecidos. As estátuas seriam construídas para iluminar as diferentes esferas existentes. Os homens funcionariam como instrumentos de ligação entre as vontades dos deuses e os rumos da sociedade. As teorias religiosas contam que Viracocha teria surgido das águas do rio Titicaca e desenvolvido o céu, a terra e todos os elementos existentes. Em diversas lendas, a divindade aparece com apenas quatro dedos segurando uma serpente nas mãos. A crença religiosa foi preservada, de diferentes formas, pela maioria das civilizações andinas posteriores.

PASSAGEM DO TEMPO

O templo de Kalasasaya abriga um dos maiores ícones relacionados à cultura Tiwanaku. A Porta do Sol está supostamente localizada em uma posição estratégica, que alinha o calendário solar na cidade há mais de 11 mil anos. Atualmente, o monumento construído com resquícios vulcânicos possui três metros de altura, pesando mais de 13 toneladas. Além da figura de Viracocha, compõem também a escultura outros 48 desenhos simbolizando formas de animais. Os nativos costumam celebrar a chegada do Ano Novo Solstício, iniciado no inverno, por volta de 21 de junho, em frente ao icônico bloco de pedra. A Porta da Lua, representada na região como um dos elementos que determinam a passagem do tempo, também está ligada a diversos rituais de passagem segundo o alinhamento de suas fases. Como a sociedade não possuía nenhuma forma de escrita, torna-se ainda mais difícil confirmar as teorias envolvidas sobre suas crenças e rituais.

MOMENTOS FINAIS

Os acontecimentos que levaram à extinção de Tiwanaku se passaram muito antes da chegada dos espanhóis colonizadores da região. Em meados do século XI, a sociedade era conhecida como um forte centro administrativo, renomado em setores metalúrgicos e astronômicos. Apesar de terem encontrado engenhosas soluções para lidar com as dificuldades causadas pela geografia árida da região, sucumbiram a drásticas alterações climáticas. De acordo com grupos de arqueólogos, as águas do lago Titicaca recuaram, ocasionando graves deficiências na agricultura. Em situações assim, a altitude traz ainda mais problemas de amplitude térmica, com calor intenso durante o dia e frio extremo ao anoitecer. Diante dessas alterações, o solo foi totalmente desconfigurado pelas agressões sucessivas das chuvas e das baixas temperaturas combinadas com secas prolongadas. Ainda que fortes evidências associem a extinção da civilização ao caos climático, as causas do desaparecimento do império de Tiwanaku permanecem um mistério.

Shutterstock

Detalhes do sítio arqueológico de Tiwanaku

AS CONQUISTAS DA SOCIEDADE VIKING

8

OS GUERREIROS NÓRDICOS FICARAM FAMOSOS APÓS UMA SÉRIE DE INVASÕES QUE ESPALHOU MEDO E TERROR POR TERRITÓRIOS EUROPEUS DURANTE O SÉCULO X

Protagonistas frequentes em diversas histórias literárias e cinematográficas, os vikings seguem despertando curiosidade no mundo contemporâneo. Os habitantes da antiga Groenlândia Nórdica desenvolveram uma poderosa sociedade que espalhava medo e terror por onde passava. Entre suas muitas conquistas, se destacam as colônias formadas em outros países após sangrentas batalhas. Vindos de regiões do norte da Europa, na Península da Escandinávia, os vikings dominaram o território Ártico no ano de 980 em um período incomum de clima favorável na ilha. Sem estabelecer nenhum tipo de regime econômico oficial, os moradores usavam como moeda de troca suas produções agrícolas para sobreviver. As leis de convivência funcionavam na base da violência e do conservadorismo. Todas as punições eram severamente aplicadas aos populares, causando longas temporadas inquisitórias, inclusive com execuções em fogueiras. Qualquer discussão, independentemente da origem, podia ser resolvida com duelos físicos, provocando banhos de sangue entre os vilarejos da cidade. Além de exímios guerreiros, os vikings atuavam ainda como comerciantes, piratas, navegadores, operários e fazendeiros.

EXPEDIÇÕES VIOLENTAS

Entre os séculos VII e XI, grupos marítimos formados pelos vikings viajaram em busca de territórios vulneráveis para realizar saques e promover atividades colonizadoras. Suas embarcações ganharam fama pelos enfeites ameaçadores colocados na proa como forma de intimidar seus adversários. O mais temido era a cabeça de um animal que, de longe, lembrava as feições de um dragão, rendendo aos barcos usados nas viagens o apelido de drakkars. Conhecedores de avançados sistemas de construção, os vikings projetavam embarcações muito diferentes das existentes na época. Velozes, eram peças fundamentais para surpreender a população dos territórios invadidos. A personalidade agressiva dos guerreiros impedia qualquer tentativa de fuga ou reação de seus opositores. Em uma série de expedições violentas, os nórdicos colonizaram toda a costa marítima da Escandinávia, algumas áreas da Rússia, o nordeste do Mar Báltico, partes da Inglaterra, o litoral de Portugal, Espanha, Itália, Sicília e áreas da Palestina. Apesar de tantas conquistas geográficas, o ataque mais conhecido protagonizado pelos vikings foi realizado contra o Império Bizantino, na capital Constantinopla, em 907. Na ocasião, o exército invasor possuía uma tropa com 80 mil homens e mais de 2 mil navios.

ROTINA DOS VIKINGS

A alimentação da sociedade baseava-se praticamente em artigos conseguidos por meio de pesca, troca de produtos com outros vilarejos e comércio marítimo. Extremamente criativos, construíram casas, fazendas, igrejas e projetaram complexas armas de guerra. Tudo era reproduzido

Shutterstock

Ilustração das invasões vikings publicada no Jornal de Voyage entre 1800 e 1801

conforme o estilo de vida conhecido anteriormente na Europa. Em torno do ano 1000 atingiram o auge vivendo na região ártica, incentivando a chegada de outras três frotas de compatriotas na ilha. O sistema administrativo era dividido entre feudos controlados por líderes soberanos e o poder centralizado na figura de um rei. Durante os dias mais quentes, caçavam animais marinhos, cortavam madeiras, produziam laticínios por meio da criação de gado e armazenavam fardos de feno. Uma das principais formas de negociação acontecia quando embarcações europeias passavam pela ilha e trocavam artefatos de luxo ou alimentos específicos de cada região. Artigos religiosos, como vinhos, terços, pratas e joias, eram exportados da Noruega para serem usados pelos membros mais influentes da sociedade. Para suportar o rigoroso inverno, trabalhavam em atividades de restauração nas construções, elaboravam planos arquitetônicos, estabeleciam métodos para preservar as plantações e aumentar os lucros com o comércio exterior. Outras transações importantes eram feitas com as peles de ursos polares, seda e âmbar de Báltico.

HOMENS TEMIDOS

As práticas violentas dos guerreiros vikings levaram as autoridades europeias da época a construírem verdadeiras fortalezas em torno de suas terras. Diversas medidas de segurança foram adotadas em locais estratégicos, como nos portos, nas igrejas e nos castelos habitados pela monarquia de cada território. Os invasores árticos eram tão temidos que muitos grupos religiosos divulgavam orações específicas em suas preces pedindo proteção contra os banhos de sangue comandados pelos vikings. De acordo com a tradição da cultura nórdica, a herança deixada pelo chefe da família após a morte era repassada diretamente para o filho mais velho. Os outros descendentes precisavam encontrar atividades alternativas para enriquecer. Na época, a principal forma de conquistar patrimônio consistia em fazer parte das expedições marítimas que saqueavam outros países. A total ausência de medo do exército viking assustava seus adversários. Embarcações lendárias da civilização, como os navios Knorr, possuíam cerca de 20 metros de comprimento, cinco de largura e transportavam até 70 pessoas. Com avançadas estratégias de guerra, os invasores cercaram diversas cidades do continente se aproveitando de importantes fatores climáticos para levar vantagem. Ao surpreender suas vítimas, utilizavam ao máximo a estrutura de suas embarcações, projetadas para aguentar fortes tempestades sem sofrer muitos abalos.

COSTUMES RELIGIOSOS

Durante a maior parte de sua existência, os vikings adotaram práticas politeístas, adorando vários deuses. O mais popular era o chefe Odin, considerado a principal figura mitológica da religiosidade nórdica. Thor, deus dos trovões e das batalhas, era extremamente cultuado antes das famosas invasões. Outro ser espiritual muito significativo para a comunidade era a deusa da fertilidade, conhecida como Freya. Em desenhos criados pela população, a figura feminina foi representada usando uma espécie de colar mágico com elementos atribuídos a uma divindade terrestre. De acordo com as lendárias histórias culturais, cada ser espiritual vivia em um local batizado de Asgard, formando uma realidade paralela. O espaço estava ligado aos acontecimentos terrestres a partir da ponte Bifrost, constituída por um arco-íris. O juízo final do povo nórdico estava previsto para acontecer após uma batalha estratosférica que destruiria todas as divindades, resultando em uma enchente universal.

Completamente fiéis às suas crenças, os vikings resistiram durante muito tempo aos costumes católicos ascendentes em toda a Europa. Durante suas viagens em busca de escravos e territórios vulneráveis para roubo de materiais preciosos, visavam sempre propriedades pertencentes ao clero como principais alvos de suas invasões. Ao longo dos anos, porém, tornou-se impossível não incorporar o catolicismo, sendo eles a última população europeia a adotar os costumes da religião. Amedrontados pelos constantes ataques, os representantes da igreja descreviam os vikings para os católicos como homens bárbaros, perigosos e rudes.

Alguns monges chegaram a classificar os guerreiros como uma forma de Deus castigar a população que sofria seus ataques. O ingresso de muitos grupos de vikings no catolicismo aconteceu também por interesses comerciais, firmando acordos por territórios.

CLASSES ECONÔMICAS

A sociedade se dividia entre representantes da nobreza, poderosos fazendeiros da elite e camponeses humildes. Grande parte da população vivia em habitações simples de apenas um cômodo. Já as casas dos membros mais abastados da comunidade possuíam salas, quartos, banheiros e cozinhas. Todas as obras eram feitas com a mesma base: madeira, pedra e relva seca. A administração da família, de acordo com os costumes nórdicos, era centrada na figura paterna. Independente da classe econômica, todos os homens participavam das reuniões organizadas pelos líderes da cidade com o objetivo de definir questões sociais e punições aos habitantes que cometessem algum delito.

DIVISÃO SOCIAL

O papel das mulheres era restrito aos cuidados com a casa e os filhos. Ainda que muito recatadas, algumas tribos femininas colonizadas em países europeus permitiam o uso de roupas consideradas extravagantes para a época. Desde que não fossem escravas, as meninas vikings se casavam aos 12 anos. Embora fossem ainda muito jovens, o costume permitia que pedissem o divórcio, herdando propriedades do marido e tendo seus dotes devolvidos. Existia ainda um cuidado especial em repassar as principais histórias e tradições locais às crianças. Os comandantes acreditavam que isso poderia ser uma forma de impedir que a comunidade se perdesse caso os guerreiros fossem mortos em algum conflito. A preocupação se estendia aos membros de suas colônias conquistadas em terras de outros países. Praticamente toda a população utilizava materiais de pedra e metal para se aquecer no inverno. Devido ao clima nórdico, era necessário combinar peças de couro e peles grossas de animais. O cabelo loiro era visto como um ideal de beleza. Os vikings geralmente nasciam morenos e se impressionavam facilmente com as características físicas de adversários nativos de outras partes da Europa. Algumas colônias utilizavam sabonetes com alto teor de soda cáustica para clarear os cabelos e as barbas.

GUERREIRO VERMELHO

Um dos principais personagens da cultura viking foi o líder Erik, conhecido como "O Vermelho" ou "O Ruivo". Antes de desembarcar nas terras da Groenlândia, os povos ocupavam partes da Noruega, Suécia e

Dinamarca. Ao chegar à ilha nórdica, considerada a maior do mundo, o guerreiro ficou impressionando pelo tamanho da área verde e batizou o território em homenagem à predominância dos aspectos naturais. Acompanhando o comandante, outros 25 navios com aproximadamente 500 pessoas seguiram viagem, porém, apenas 15 embarcações conseguiram chegar ao destino. Fugindo de uma acusação de assassinato contra um superior, Erik conseguiu se estabelecer na nova terra com seu filho. De acordo com a mitologia, a discussão ocorreu após seu rival ter matado um escravo. Durante o duelo, Erik aproveitou da fragilidade do inimigo e o eliminou com golpes de machado, dividindo seu corpo em seis partes. A história se espalhou, tornando o líder temido por toda a população. Entre as figuras mais populares da lendária história dos vikings está também o grupo de guerreiros Berserk. Tomados por uma fúria descontrolada, amedrontavam seus adversários e dificilmente perdiam uma batalha. Era uma espécie de transformação sobrenatural, conhecida na mitologia como cães raivosos. Algumas teorias defendem que a reação assustadora dos guerreiros acontecia devido ao uso de cogumelos alucinógenos plantados nos vilarejos, especialmente o *amanita muscaria*.

ALTERAÇÕES CLIMÁTICAS

A população de guerreiros nórdicos viveu tranquilamente no território da Groenlândia até o ano 1100. Uma grande temporada de frio exorbitante se estendeu pela região por cerca de 80 anos depois disso. Enquanto tentavam se adaptar às novas condições de temperatura, os habitantes sofriam para manter suas plantações ativas com as constantes agressões ao solo. Mesmo as menores alterações climáticas afetavam o armazenamento de feno e a quantidade de gelo concentrado no mar. Com verões mais curtos e dias cada vez mais gelados, o comércio dos vikings ficou comprometido, ocasionando um período de decadência nas produções agrícolas. O gelo avançou tanto na região que acabou por isolar a civilização, impedindo a chegada de embarcações marítimas. Os recursos naturais praticamente desapareceram. Diante da escassez de madeira, os moradores da área usavam lenha acompanhada por resquícios de carvão para aquecer água e outros alimentos. No processo de extinção, a sociedade ainda sofreu com a força dos ventos, que dificultavam a agricultura. Atividades consideradas comuns no dia a dia dos vikings desapareceram, tornando impossível a produção de comida. Como último recurso, a população se alimentou dos animais cultivados para comércio. Até mesmo os cães de caça foram servidos como alimento. Por volta de 1400 toda a estrutura do império nórdico foi extinta, e seus habitantes morreram de fome e de frio.

Shutterstock

Representação de um guerreiro viking, com capacete de chifres

BLOQUEIO CULTURAL

Adotando uma postura completamente conservadora, os nórdicos impediam a entrada de informações sobre vizinhos territoriais em sua comunidade. Do outro lado da ilha, em uma parte ainda não explorada, viviam tribos de esquimós, conhecidos como Inuits. Adaptados ao frio gélido da região, produziam uma vasta alimentação, baseada em carne de focas e baleias. Como forma de aquecimento, os habitantes utilizavam a gordura dos animais e toda a estrutura arquitetônica da sociedade era construída por esculturas, casas e vilarejos de gelo. Especula-se que outras duas populações se estabeleceram em diferentes pontos da Groenlândia Nórdica. Em aproximadamente 2500 a.C. os Saqqaq ergueram comunidades na ilha até que uma virada brusca na temperatura destruiu todo o solo. Os sobreviventes acabaram deixando o local em 850 a.C. Já os Dorset encontraram a região pouco depois do declínio dos Saqqaq, porém também sucumbiram às dificuldades de alimentação, em uma área coberta por geleiras. Atualmente, o país recebe inúmeros turistas oferecendo uma série de belezas naturais, como a aurora boreal e o sol da meia noite (quando permanece dia durante 24 horas), observação de baleias e, claro, as ruínas da cidade construída pelos vikings.

CIVILIZAÇÕES PERDIDAS NA AMAZÔNIA

9

PRESERVANDO HISTÓRIAS MITOLÓGICAS AO LONGO DOS SÉCULOS, OS POVOS ANTIGOS DA REGIÃO CONQUISTARAM GRANDES AVANÇOS ARTÍSTICOS E DEIXARAM UM PRECIOSO LEGADO NA AMÉRICA DO SUL

Entre lendas conhecidas em todo o mundo e fatos relevantes para os arqueólogos, o passado da Amazônia brasileira surpreende a cada descoberta. A região abriga uma série de culturas erguidas em situações desfavoráveis à população, diante do clima hostil e da mata selvagem. Situadas no coração da Bacia Amazônica, as civilizações perdidas mais avançadas do território nacional desenvolveram inúmeras soluções para crescer em um solo pobre em nutrientes, porém abundante em recursos naturais. Cerca de 7 milhões de indígenas se estabeleceram na área praticando comércio com outras comunidades, descobrindo técnicas artísticas e provendo métodos inovadores de produção agrícola. A sociedade funcionava por meio do trabalho realizado por dois grupos predominantes: as tribos Tapajônicas, situadas na região de Santarém, atualmente pertencente ao Estado do Pará, e os índios marajoaras, originários da Ilha de Marajó. Após a chegada dos europeus no século XVI, as populações deixaram heranças valiosas, criando uma peculiar mitologia.

TERRA PRETA

Padres e freis que chegaram à região com as expedições colonizadoras escreviam diários relatando as principais características das civilizações locais. Acredita-se que a população do passado conseguiu viver no território causando o mínimo de agressões possível às reservas naturais e ao solo. Ainda que possuíssem uma alimentação centralizada em peixes, os indígenas sabiam da possibilidade de provocar a extinção das espécies caso caçassem sempre os mesmos animais marinhos. Os poucos impactos registrados foram ocasionados pelo desmatamento em alguns pontos da floresta para a construção dos barracos onde viviam os nativos, em torno dos rios. Desenvolvidos sistemas de remanejamento fluvial auxiliaram no escoamento das águas em temporadas de cheias.

Originalmente, as terras da região não ofereciam boas condições aos trabalhadores agrícolas. O solo amazônico era pobre em nutrientes, o que diminuía a variedade de alimentos. Com técnicas engenhosas, as tribos criaram a "terra preta" a partir de alterações químicas no terreno. O processo foi realizado com descarte de lixo orgânico, misturado a resquícios de carvão e pedaços de cerâmica quebrados. A famosa substância, preservada até hoje por índios contemporâneos, transformou a região em uma das áreas mais férteis para plantações registradas no Brasil.

SUPREMACIA TAPAJÔNICA

Por mais de 500 anos, as tribos tapajônicas exerceram uma grande influência em toda a extensão do território amazônico. As aldeias eram formadas por índios de origem Tupuliçus, que usavam armamentos para intimidar seus adversários na região. Guerras constantes eram promovidas para disputar o controle das comunidades. Um dos principais métodos de ataque usados pelos indígenas consistia em um veneno retirado do cipó. A substância direcionada aos inimigos em flechas matava um ser humano em menos de 24 horas após o ferimento. O estado de soberania dos Tapajós se consolidou também com o crescimento exacerbado da população nativa, vencendo todas as batalhas contra grupos vizinhos. Pesquisadores indicam a possibilidade de os líderes das sociedades tapajônicas centralizarem todo o poder local, promovendo comércio com aldeias distantes e reunindo tribos de etnias e linguagens diferentes.

CERÂMICA HISTÓRICA

As maiores evidências sobre a rotina das tribos foram encontradas graças a vestígios deixados por suas lendárias peças de cerâmica. O trabalho, admirado mundialmente, contava histórias em desenhos feitos de forma minuciosa. Para produzir as obras, os índios utilizavam argila e uma esponja de rio chamada cauixi. Artesãos especializados da comunidade modelavam com as mãos os objetos, garantindo a riqueza de detalhes em peças delicadas. De acordo com lendas disseminadas ao longo dos anos, os utensílios cerâmicos decoravam rituais importantes, como eventos religiosos e enterros. Os Tapajós misturavam as cinzas de seus familiares mortos a sucos feitos de milho ou com substâncias retiradas de plantas características da floresta Amazônica. As urnas tradicionais da civilização ganharam fama nos estudos arqueológicos. Os corpos passavam por um sistema de embalsamento antes de entrarem no recipiente. A etapa final consistia no trituramento dos ossos que eram servidos como chá e oferecidos a todos os membros da tribo em uma espécie de taça tradicional, considerada muito avançada para as criações artísticas da época. Diante da exploração dos europeus, a cultura nativa foi perdendo, aos poucos, suas principais características. A influência dos líderes nativos durante o auge alcançava uma extensão aproximada de 600 quilômetros entre os rios Amazonas e Tapajós.

COMUNIDADE MARAJOARA

O sítio arqueológico pertencente à Ilha de Marajó abriga resquícios de grandes construções realizadas pela população do passado. Com todas as peculiaridades comuns a extensas metrópoles, as aldeias administravam atividades agrícolas, baseadas no cultivo de mandioca e do tradicional arroz-bravo. O estilo artístico dessa comunidade centralizava-se na produção de cerâmica cerimonial. Diversas serpentes apareciam com frequência retratadas nos utensílios. Cada trabalho possuía uma grande cartela de cores, bordas ocas, técnicas diferenciadas de modelagem e incisão. O período de maior avanço da civilização aconteceu entre os séculos V e XIV. Outra característica dominante dos marajoaras era a criatividade na construção de aterros imensos, que serviam como ponto inicial para o desenvolvimento de toda a estrutura arquitetônica das aldeias.

Como a área sofria constantemente com alagamentos, vindos dos rios e das chuvas, as construções auxiliavam também na proteção dos moradores. Os espaços residenciais eram levantados em locais que podiam abrigar até mil pessoas confortavelmente. As aldeias desta comunidade ocupavam uma extensão de 20 mil km². Em temporadas de cheias, os índios só conseguiam entrar e sair de suas vilas em canoas construídas com recursos retirados do meio ambiente.

DESTRUIÇÃO EUROPEIA

A população marajoara desapareceu por volta de 1300. As condições que levaram ao declínio da civilização são vistas até hoje como um grande mistério. Especula-se entre grupos de arqueólogos que a extinção tenha ocorrido após constantes brigas entre as aldeias, impedindo a formação de estratégias de defesa contra ataques de outros povos. Quando os primeiros portugueses chegaram à região, já não existia mais nenhum nativo das tribos. Em seus registros, os invasores europeus não encontraram também descendentes dos marajoaras entre os índios remanescentes. Ao longo de sua existência, deixaram suas histórias cotidianas marcadas apenas em trabalhos artísticos de cerâmica, sem dominar nenhuma técnica de escrita. As peças possuíam desenhos de animais comuns na Amazônia, como escorpiões, cobras e lagartos. Já a cultura tapajônica desapareceu por conta das explorações dos colonizadores. A partir dos primeiros registros de portugueses em Santarém, aproximadamente em 1661, a história dos índios mais antigos do território foi contada oralmente por meio de moradores do sítio arqueológico. Mesmo depois de tantos trabalhos de escavações e pesquisas geográficas na região, foi encontrada apenas uma pequena quantidade de cerâmica artística produzida pelos Tapajós.

PERÍODO PALEOLÍTICO

Outra cultura pré-histórica brasileira teria emergido durante o período paleolítico, nas imediações da Bacia Amazônica. Descobertas recentes contrariaram a opinião de cientistas que sempre afirmaram ser muito difícil sobreviver em condições de mata fechada e hostil, como é a vegetação do local. Como o volume dos rios poderia encobrir as plantações em temporadas de cheias, as atividades de agricultura e caça seriam interrompidas e a população acabaria morrendo de fome. A norte-americana Anna Roosevelt, professora da universidade de Illinois, encontrou vestígios que comprovam a existência dessa civilização antiga em diversas escavações realizadas em um sítio arqueológico de Monte Alegre, município de Belém, no Estado do Pará. Dentro da caverna da Pedra Pintada, famosa na região pelo conteúdo histórico, relatou evidências de que o homem teria vivido nesse espaço há mais de 11.200 anos. Muitos desenhos pintados de vermelho registram as características desse povo, como imagens de plantas da região e animais. O que mais impressiona são as artes relacionadas às condições biológicas humanas. Nos montes localizados na serra do território, o turista precisa subir uma sucessão de pedras até encontrar as ilustrações de mulheres em trabalho de parto e órgãos reprodutores masculinos e femininos.

VESTÍGIOS ARTÍSTICOS

Apesar de muitas descobertas, ainda não foi possível comprovar cientificamente a existência dessa civilização antiga de Monte Alegre. Além dos desenhos registrados em cavernas, as pesquisas encontraram também peças de cerâmica. Divididos entre cuias e vasos, os artefatos possuem cerca de 7600 anos. Os estudos do material buscam provas de uma cultura avançada tecnologicamente, responsável por iniciar as técnicas até hoje utilizadas por escolas de artes e tribos remanescentes na Floresta Amazônica. As obras foram esculpidas em argila, sendo decoradas por mãos habilidosas para criar detalhes realistas. Especula-se que a comunidade tenha funcionado como uma grande metrópole, comparada às cidades contemporâneas. Há 11 mil anos, a região pode ter reunido cerca de 300 mil moradores, cinco vezes mais do que a população atual do município. Os homens primitivos adotavam uma dieta rica em nutrientes, priorizando o consumo de carnes. Restos de ossos encontrados comprovam que animais de várias espécies foram carbonizados. Os principais registros mostram aves, morcegos, serpentes, tartarugas, peixes, sapos, roedores e grandes mamíferos selvagens. Ainda não se sabe como essa sociedade pode ter desaparecido. As pesquisas na região continuam procurando vestígios do passado amazônico brasileiro.

ELDORADO MITOLÓGICO

Entre tantas lendas nascidas nas terras amazônicas, o mito do Eldorado é o mais popular em todo o mundo. A teoria, que segue sendo disseminada ao longo dos séculos, descreve a existência de uma cidade perdida nos labirintos da selva brasileira. O sonho de encontrar esse místico território levou muitos pesquisadores a se aventurar pelas matas em busca de supostas terras repletas de ouro. Os rumores foram tão intensos durante a colonização portuguesa que o mito de Eldorado se espalhou por diversas partes da Europa. A versão contada pelos sul-americanos descreve a rotina de um líder riquíssimo que se cobria de ouro da cabeça aos pés para demonstrar seu poder todas as manhãs. Após a chegada da noite, o soberano se banhava em um lago sagrado com o intuito de retirar os elementos de seu corpo. Nessa interpretação, Eldorado não representava um lugar, a história era protagonizada apenas por uma figura simbólica. A explicação mais aceita, segundo estudiosos, conta que tudo não passou de uma invenção das tribos indígenas para enganar os gananciosos colonizadores europeus. Pesquisas recentes analisam ainda a possibilidade de a mitologia ter sido criada pelos espanhóis com a intenção de ocultar os constantes massacres realizados em áreas florestais do continente.

MORTES MISTERIOSAS

Nos primeiros momentos após a descoberta do Novo Mundo, os europeus exploraram os mitos criados pelas cidades perdidas. Uma série de especulações confundiam os membros das expedições indicando a localização do Eldorado em diferentes regiões. Alguns espanhóis chegaram a acreditar que o território dourado pudesse ser encontrado no Deserto de Sonoro, no México. Outras crenças indicavam o Eldorado escondido na nascente do Rio Amazonas. Grupos de europeus seguiram rumo à América Central realizando expedições em áreas até então desconhecidas. O último local pesquisado foi o Planalto das Guianas, situado entre a Venezuela, a Guiana e o norte do Brasil, no Estado de Roraima. Ao longo dos séculos, o mistério se tornou alvo de curiosos. Alguns pesquisadores não retornaram de suas missões, desaparecendo misteriosamente. Especula-se que tenham morrido em acidentes em lugares hostis da selva ou em decorrência de ataques de animais. Apesar de nunca terem encontrado referências ligadas à lenda, exploradores retiraram muito ouro e prata do território brasileiro.

OUTRAS LENDAS

A ganância dos europeus em busca de metais preciosos formou uma grande lista de histórias mitológicas relacionadas às civilizações perdidas. A lenda de Paititi descreve um território escondido no leste dos Andes, situado em alguma parte das florestas tropicais do Peru, atingindo o norte da Bolívia e o sudoeste do Brasil. Com o intuito de intimidar os colonizadores espanhóis, os índios da região contavam que a cidade pertencia a um reino encantado no meio da selva, habitado anteriormente por uma raça de criaturas adoradoras do Sol, os Ewaipanomas. Todos eles seriam desprovidos de pescoços, com as cabeças localizadas na altura dos peitos. A mitologia disseminava a existência de palácios revestidos de ouro. O chefe supremo da civilização seria um homem batizado de Eldorado ou Príncipe Dourado.

Ainda na Floresta Amazônica, a lenda de Akator apresenta uma versão mais recente das cidades místicas da região. Sua possível existência foi abordada apenas em 1976 pelo jornalista alemão Karl Brugger, durante uma visita à área da mata brasileira. De acordo com relatos de índios locais, há 15 mil anos uma civilização antiga teria escondido riquezas em suas construções de pedra entre a Amazônia e o Peru. O livro "As Crônicas de Akakor", publicado pelo jornalista, trouxe vários aventureiros para o local em busca da sociedade perdida. Três pesquisadores desapareceram no período de buscas e Brugger acabou sendo assassinado no Rio de Janeiro, em 1984. Especula-se que a lenda tenha sido criada pelos nativos com base nas histórias do Eldorado.

TURISMO ATUAL

As cidades perdidas no Amazonas e no Pará abrigam hoje em dia uma população nativa que segue preservando suas histórias e lendas. Na região de Santarém, onde viveram os índios Tapajós, os turistas podem visitar o Centro Cultural João Fona. O local, que passou por um amplo processo de revitalização em 2015, contempla 12 salas reunindo grande parte da história da cidade. Entre as peças arqueológicas da civilização antiga estão artefatos de cerâmica, peixes fossilizados, exemplos de materiais agrícolas e jornais com registros detalhados sobre os indígenas. Já no Museu de Marajó, localizado na ilha de mesmo nome, o viajante encontra todos os aspectos ligados à rotina da extinta população. Miniaturas de embarcações usadas nas fazendas, os trajes típicos das tribos, releituras de plantações, fotos, objetos do cotidiano e lanças usadas em batalhas estão entre os itens expostos. Diversas pousadas da cidade vendem passeios aos turistas, já incluindo os museus e as extensões dos sítios arqueológicos no roteiro.

Vista aérea do Rio Amazonas, na altura de Belém do Pará

A POLÊMICA DESCOBERTA DO SÉCULO

10

CIDADE PERDIDA DO DEUS MACACO: EM PLENA FLORESTA DE HONDURAS, O ACHADO DESSA CIVILIZAÇÃO FOI CONSIDERADO A MAIS IMPORTANTE REVELAÇÃO ARQUEOLÓGICA DOS DIAS ATUAIS

A mística Cidade Branca, também chamada de Cidade Perdida do Deus Macaco, representa uma das descobertas mais recentes da arqueologia. Sempre existiram muitas lendas em torno das antigas histórias dessa civilização, porém os primeiros vestígios deixados pelos habitantes só foram encontrados em meados de 2013. Localizada na floresta de Honduras, na selva inexplorada do Rio Plátano, a área recebeu, desde então, diversas expedições comandadas por estudiosos para levantar mais informações sobre a comunidade perdida. Até o momento, encontraram evidências que demonstram uma avançada metrópole, com ruínas de praças, pirâmides, aterros e artefatos artísticos ainda não explicados culturalmente. Ainda que poucas informações tenham sido encontradas sobre a etnia da população, as autoridades do país afirmam não ter nenhuma relação com os Maias, Astecas e Incas. Imagens de satélite feitas no território indicam a possibilidade de existir outras construções milenares encobertas pela mata. Acredita-se que estruturas de pedra remanescentes de palácios, casas e igrejas possam ser encontradas em pouco tempo.

TERRITÓRIO INÓSPITO

Os rumores sobre a Cidade Branca despertaram a curiosidade de vários aventureiros ao longo dos anos. Os exploradores encontravam sérias dificuldades em concluir as pesquisas diante da hostilidade das florestas tropicais e da falta de objetividade sobre o que estavam procurando. Como as lendas nunca indicaram as possíveis localizações das ruínas, todos os grupos entravam na mata sem qualquer direcionamento. As atividades da civilização podem ter começado aproximadamente no ano 1000 a.C., sendo apelidada de Cidade do Deus Macaco após um arqueólogo norte-americano descobrir que os nativos a chamavam dessa forma. O registro mais importante sobre a região, antes da recente descoberta, foi relatado por Theodore Morde e publicado no jornal "New York Times" em 1940. As supostas evidências encontradas da cultura perdida nunca foram comprovadas geograficamente. Em 1928, o escritor Charles Lindbergh também avistou artefatos antigos em meio a ruínas brancas enquanto sobrevoava as florestas hondurenhas. Os relatos auxiliaram na disseminação da lenda, aumentando o número de expedições ao local.

TECNOLOGIAS MODERNAS

Os avanços nas pesquisas só foram possíveis com a utilização de aparelhos eletrônicos que identificam pedaços inóspitos da terra virtualmente. A função do radar, batizado de LIDAR, abreviatura de L*ight Detection and Ranging* (Detecção de Luz e Extensão), é diminuir o tempo das escavações e expedições em anos. O dispositivo tecnológico utiliza pulsos de luz para mapear uma extensão territorial por meio de fotos em modelos visualizados em 3D. Todo o trabalho é feito por emissão de *lasers* saídos de um avião, ultrapassando as zonas da mata e alcançando as grandes elevações de relevo. Antes da visualização das ruínas, muitos estudiosos afirmavam que as florestas da América do Sul e Central eram locais extremamente hostis para o crescimento de civilizações antigas. Mas descobertas realizadas com o radar indicam a extinção de várias cidades pré-históricas no local, ainda sem vestígios concretos de suas populações.

OBJETOS CURIOSOS

Escavações terrestres realizadas em 2015, em parceria com uma equipe de especialistas da National Geographic, localizaram 52 objetos enterrados no solo da região. Entre as curiosidades registradas está uma cabeça com traços semelhantes aos de um jaguar. Especula-se que seja uma simbologia ligada aos rituais de xamãs realizados na comunidade.

Pelo formato redondo, supõe-se a possibilidade de o objeto ter sido utilizado como uma espécie de bola em jogos semelhantes ao futebol atual. Além do artefato excêntrico, as equipes coletaram também comprovantes de engenhosas técnicas de terraplenagem na área. Diante de tantas evidências, os arqueólogos defendem a existência de diversas cidades avançadas situadas no território em épocas passadas, formando um grande império.

Shutterstock

Shutterstock

Ruínas na região florestal de Honduras

MEDIDAS PROTETORAS

A localização exata de todas as cidades perdidas foi preservada pelas equipes investigadoras, atendendo ao pedido do governo hondurenho. O sistema de segurança foi desenvolvido para proteger o sítio arqueológico de possíveis saqueadores, como já aconteceu em outras áreas da América do Sul e Central. Alguns pontos da região são utilizados como rotas para tráficos de drogas, preocupando as autoridades em relação ao interesse de quadrilhas no material antigo escondido na selva. As medidas geraram muita polêmica em Honduras, sendo questionadas por profissionais envolvidos em processos de escavação. O famoso arqueólogo Ricardo Agurcia, natural do país, rebateu as descobertas sobre a Cidade Branca. Segundo ele, a equipe formada para o trabalho não era confiável, devido à ausência de especialistas hondurenhos, conhecedores dos interesses da cultura regional. Outro argumento levantado por Agurcia estranha que a notícia tenha sido publicada primeiro por um veículo dos Estados Unidos.

PRIMEIRO ARTIGO

As primeiras notícias sobre a descoberta da civilização foram publicadas em março de 2015 pelo site da National Geographic. A partir disso, começaram uma série de discussões sobre a veracidade dos relatos da equipe norte-americana, liderada por Christopher Fisher. O território, que teria sido visto inicialmente apenas pelos recursos do LIDAR, precisava ser visitado presencialmente antes de ser anunciado ao mundo como a principal descoberta do século. A expedição terrestre contou com a presença de arqueólogos americanos e hondurenhos, documentaristas, etnólogos, antropólogos, engenheiros e 16 soldados das Forças Especiais de Segurança Hondurenhas. A National Geographic enviou, na ocasião, um fotógrafo e um redator para registrar os principais momentos da escavação. Em outubro de 2015, o canal lançou mundialmente o polêmico documentário "Legend of the Monkey God", sobre o processo de pesquisa no território.

HERANÇAS MILENARES DA LÍBIA

11

RASTROS DEIXADOS POR ANTIGAS CIVILIZAÇÕES NO SAARA TRANSFORMAM A REGIÃO EM UM IMPRESSIONANTE SÍTIO ARQUEOLÓGICO REPLETO DE RIQUEZAS CULTURAIS

Baseadas em fotos de satélite e fotos aéreas, equipes de pesquisa da Universidade de Leicester, na Inglaterra, encontraram vestígios de uma civilização perdida no sudoeste da Líbia, próximo ao deserto do Saara, em 2011. As técnicas arquitetônicas utilizadas nas construções de templos e castelos impressionaram os estudiosos pela estrutura moderna. Edificadas originalmente com tijolos de lama misturados com argila, as ruínas do local possuem mais de quatro metros de altura, sendo consideradas grandes obras civis no passado. Apesar da degradação causada pela passagem do tempo, toda a estrutura do sítio arqueológico está muito bem conservada. Os processos de exploração do solo registraram um efetivo sistema de irrigação na região, e alguns monumentos são semelhantes aos palácios medievais da monarquia europeia. Até o momento, foram estudados mais de 100 vilarejos e zonas destinadas a trabalhos rurais. Especula-se que a cidade tenha existido em torno dos anos 100 e 500 da Era Cristã.

ESTADO ORGANIZADO

A pesquisa arqueológica, liderada pelo acadêmico David Mattingly, recebeu incentivos de US$ 4 milhões da União Europeia para tentar identificar elementos que expliquem o conceito cultural e social desta civilização. O crescimento populacional no deserto do país intriga os cientistas. A região é considerada um dos lugares mais hostis do mundo, alcançando temperaturas de até 50ºC durante o dia. As descobertas realizadas no território mostram que a sociedade possuía um modelo funcional de Estado organizado com um sistema hierárquico bem estruturado. Seus habitantes eram negociantes de muito sucesso entre os povos vizinhos, criando soluções diferenciadas para sobreviver às condições climáticas do deserto líbio. Para acelerar as negociações, elaboraram diversas rotas de passagem na região, que funcionam até hoje. Grande parte das evidências encontradas indica que as melhorias foram conquistadas com a localização de oásis em meio ao deserto.

GUERRA CIVIL

A equipe britânica esteve durante cinco anos no local, participando de escavações e pesquisas territoriais antes da recente descoberta. O trabalho arqueológico se concentra em torno da cidade de German, conhecida antigamente como Garaman. Em fevereiro de 2011, a Líbia passou por um extenso conflito armado liderado por rebeldes que pediam a saída do ditador Muamar Kadafi do poder. Diante de uma guerra civil em ascensão, David Mattingly precisou se retirar do país e as buscas foram interrompidas. Oito meses depois, o ex-chefe de Estado acabou morto em uma troca de tiros, encerrando um governo com mais de quatro décadas no comando do povo líbio. Embora os primeiros vestígios das ruínas de Garamantes tenham sido encontrados há mais de

30 anos, o domínio político intolerante impedia o aprofundamento de estudos na região.

POVO GARAMANTES

Toda a estrutura da cidade desconhecida estava submersa em meio às ruínas do Reino de Garamantes. A população pré-islâmica do território seria a responsável pela construção dos monumentos encontrados, formando um verdadeiro império em sua sociedade. Todo o poder administrativo estava localizado na capital de Germa, atual distrito de Jarma, na Líbia. Suas primeiras atividades aconteceram em meados do século V a.C., mesma época de ascensão do Império Romano na Europa. Acredita-se que as lideranças políticas tenham expandido os domínios da comunidade para a região de Fezã, no sudoeste do país. Ao longo dos séculos, os Garamantes foram retratados historicamente como homens bárbaros, nômades sem noção de civilização que transitavam caoticamente entre várias áreas do deserto. Após a intensificação dos estudos comandados pelos ingleses, descobriu-se uma cultura sofisticada e avançada em aspectos governamentais.

DOMÍNIO AFRICANO

Técnicas de agricultura garantiam a distribuição de alimentos entre os habitantes do reino. O cultivo girava em torno de uva, trigo, cevada e oliva para produzir substâncias semelhantes ao azeite. Há indícios de que tenham descoberto composições necessárias para trabalhar com refinamento de sal e materiais de vidro. O rápido crescimento econômico foi conquistado pela exploração de escravos nas plantações, redobrando o número de itens negociados. Pesquisadores afirmam que esta civilização atuou como um dos mais poderosos impérios do Norte da África, deixando heranças culturais em diversas esferas da sociedade contemporânea. Além do sofisticado sistema administrativo, os Garamantes também desenvolveram uma linguagem própria, com métodos de escrita utilizada em vários pontos do continente.

CHUVAS TROPICAIS

Elaborando criativas soluções para lidar com as questões climáticas da região, os Garamantes conquistaram uma qualidade de vida muito superior a todos os outros povos que habitaram o deserto líbio. As cidades eram planejadas, repletas de árvores frutíferas, se estendendo por uma área geográfica maior que a da Grã-Bretanha. O reino esteve ativo por mais de mil anos, se refugiando nos vales em temporadas de seca. Ainda que as temperaturas subissem muito além do esperado, o território recebia chuvas tropicais com frequência. Uma espécie de trilha verde se formava entre o solo da África subsaariana e da costa mediterrânea, o que atraía inúmeros animais para a região.

ARTE FUNERÁRIA

Inicialmente, os membros da civilização construíram suas habitações dentro de cavernas localizadas em torno do deserto. Após desenvolverem procedimentos aquíferos, no ano 1000 a.C., adaptaram templos como moradias para a população. Na época, existiam entre 50 e 100 mil pessoas vivendo na sociedade. Uma das engenhosas soluções para a falta de água em tempos de seca foi a escavação do solo, formando aproximadamente 600 túneis que resultaram em 100 mil poços com 40 metros de profundidade. O sítio arqueológico dos Garamantes preserva uma espécie de cemitério ocupado por 100 tumbas. Destinado aos soberanos da cidade antiga, o local foi construído utilizando tijolos misturados a grandes quantidades de barro. Os corpos das pessoas comuns recebiam um destino menos especial, sendo direcionados para terrenos em torno dos vales próximos. Pouco se sabe, até então, se havia algum ritual religioso durante o sepultamento das figuras importantes politicamente.

HERANÇA HISTÓRICA

Para os pesquisadores, a imagem conservada durante séculos do povo Garamante como homens nômades e violentos está relacionada aos esforços do Império Romano para tentar interromper o rápido crescimento econômico do reino. A civilização, até então, foi tratada com desprezo pelo mundo acadêmico e científico pela suposta falta de contribuição deixada para estudos etnológicos. Representantes enviados pelos romanos chegaram ao deserto da Líbia por volta de 19 a.C. com a missão de conquistar o território. Para os líderes do império, a medida impedia qualquer tentativa de ataques a expedições europeias no deserto africano. Sob o comando de Lúcio Cornélio Balbo, os romanos teriam perdido diversas ações comerciais diante da expansão das atividades dos Garamantes. O grande intuito das escavações realizadas pela equipe britânica é colocar a verdadeira história dessa civilização perdida nos livros escolares e na memória cultural dos líbios.

EXTINÇÃO POPULACIONAL

O reino construído pelos Garamantes entrou em decadência diante das condições climáticas impostas no Norte da África. Ainda que tivessem criado soluções consideradas avançadas para as longas temporadas de seca na região, a população sucumbiu pela escassez de água no deserto. Durante o século IV, depois de resistir durante 600 anos aos limites impostos pela falta de recursos hídricos, grande parte da civilização foi extinta, com seus membros morrendo de sede e de fome. Toda a concentração política de poder dividiu-se entre pequenas cidades-estados que se formaram para abrigar o povo remanescente. Em pouco tempo, tribos islâmicas dominaram o território, deixando os vestígios da sociedade Garamante encobertos pelas areias da região. Até 2011, o pouco que se sabia sobre eles havia sido retirado de escrituras deixadas pelo Império Romano.

COLONIZAÇÃO AFRICANA

A partir de 146 a.C., Roma iniciou o processo de dominação das civilizações africanas. Representantes do império se instalaram em regiões próximas ao Mar Mediterrâneo. O território passou por várias outras invasões de povos interessados em formar novas colônias para saquear as riquezas naturais, como gregos, árabes, franceses, portugueses, ingleses e espanhóis. Até hoje, as marcas deixadas pela antiguidade greco-romana nas cidades litorâneas da Líbia podem ser vistas em forma de ruínas constantemente visitadas por turistas. Entre todas as culturas impostas durante as invasões, a influência deixada pelos árabes predomina no estilo de vida adotado pelo país. Na capital Trípoli, construções preservadas remontam detalhes do passado líbio, destacando o Império Romano e a civilização fenícia. As principais peças encontradas por arqueólogos estão localizadas no museu Jamahiriya. Outro ponto bastante procurado é a cidade perdida de Sabratha, a oeste de Trípoli. Entre as ruínas históricas estão imensos templos romanos.

Shutterstock

Sítio arqueológico romano em Trípoli, capital da Líbia

O LEGADO CULTURAL DA SOCIEDADE MINOICA

12

DESTRUÍDA POR UMA SEQUÊNCIA DE DESASTRES NATURAIS, A CIVILIZAÇÃO INSPIROU DIVERSOS CONCEITOS ADOTADOS PELOS GREGOS AO LONGO DOS SÉCULOS

Pecold / Shutterstock.com

Pinturas dos minoicos retratando animais no dia a dia da civilização

Em meados do ano 2000 a.C., os habitantes da Ilha de Creta, na Grécia, erigiram uma sociedade considerada extremamente moderna para os padrões da época. Um dos fatores que auxiliaram seu crescimento acelerado foi a fertilidade do solo, na região ao sul do Mar Egeu. Pouco se sabe sobre as questões internas dessa civilização, já que especialistas nunca conseguiram decifrar suas elaboradas formas de escrita. Conhecedores profundos do mar da região, os homens minoicos organizaram a primeira grande potência naval do país. Transportavam diversos produtos, a maioria fabricados pela própria população, como artefatos de ouro, tecidos, azeites e uvas.

As ruínas históricas deixadas pela comunidade estão reunidas na cidade de Cnossos, principal centro comercial e cultural do passado. O sítio arqueológico remonta aos principais costumes dos primeiros homens a ocuparem as terras gregas. A verdade sobre a origem deste povo ainda não foi encontrada, porém, sabe-se que tudo começou com a chegada de grupos neolíticos à região. Pacíficos, ficaram conhecidos pela forma burocrática como resolviam seus assuntos políticos e pelo respeito à figura feminina.

ARQUITETURA EVOLUÍDA

Com uma engenhosa visão arquitetônica, os minoicos construíram enormes palácios, baseados em conceitos considerados avançados para a época. O monumento mais famoso é o Palácio de Cnossos, com cinco andares e cerca de 1300 cômodos. Todo o espaço era dividido entre várias funções, servindo como hospedagem para nobres de outras regiões, oficinas de artistas cerâmicos e salas religiosas. As paredes possuíam artigos decorativos semelhantes aos hotéis luxuosos de hoje em dia, incluindo pinturas simbolizando a rotina da cidade. Os inúmeros palácios construídos na ilha são as ruínas com o melhor acabamento interno já encontradas por arqueólogos e pesquisadores. Documentos remanescentes mostram que as edificações milenares possuem características únicas, projetadas especialmente para atender às necessidades dos nobres. A base da arquitetura da região eram tijolos, barro e pedras. Os espaços, repletos de corredores complexos, recebiam desenhos coloridos de animais selvagens nos cômodos principais.

AGRICULTURA

Os grupos estabelecidos na ilha cultivavam trigo, lentilha e vendiam artigos de luxo para comerciantes do Egito e de outras regiões próximas. Alimentavam-se da pesca, facilitada pelo clima ameno predominante no mar da Grécia. Desenvolveram pequenas fazendas, com criação de bois, ovelhas e cabras, afastadas do movimento comercial das grandes cidades. Em algumas ocasiões, os animais eram usados para complementar as refeições das famílias locais. Com o sucesso comercial em ascensão, a sociedade minoica colonizou uma série de extensões geográficas nos

Shutterstock

Ruínas internas do palácio minoan, em Creta

arredores de Creta ao longo dos anos. Os esquemas de venda e troca eram efetuados por meio de pesos e medidas dos produtos, valorizando os itens alimentícios gerados em abundância no território. Durante o período conhecido como Idade do Bronze, entre 3000 a.C. e 1200 a.C., os habitantes da comunidade descobriram as utilidades do cobre para substituir a pedra em várias funções. Construíram vasos, portos destinados à grande frota de navios e avançados sistemas de fornos.

CIDADES ANTIGAS

Durante o período de crescimento social e comercial, algumas partes da ilha funcionavam em esquema de metrópole. Todas as cidades se conectavam entre si por meio de estradas projetadas para facilitar o sistema de produção e as negociações de trabalho. Construíram também um moderno método utilizado em canalização de esgotos formado por dutos de pedras que levavam as águas da chuva. Lojas repletas de artigos decorativos e alimentos movimentavam os centros comerciais, cercados por casas e edifícios. As ruas principais eram pavimentadas, distribuindo as moradias por blocos, muito parecidos com condomínios. Já nas áreas mais afastadas da região central, os camponeses viviam em vilarejos edificados a partir de madeira e tijolos baseados em massa de calcário. Em algumas comunidades, os habitantes erguiam grandes mansões em meio aos espaços agrícolas. Nos arredores do litoral, os minoicos fundaram fábricas especializadas na produção de seus navios, e alguns bairros recebiam uma ampla concentração de oficinas artesanais.

ELEMENTOS ARTÍSTICOS

Muitas características da sociedade minoica foram descobertas por vestígios deixados por seus trabalhos com cerâmica. Produziam, em grande escala, vasos de argila e casca de ovo para armazenar vinho, óleo e trigo. As técnicas artísticas também eram muito utilizadas em decorações de palácios. O dia a dia da civilização costumava ser registrado em traços simétricos identificados como animais, plantas e feições humanas. No passado grego, o touro era considerado uma figura sagrada, sendo retratado em diversos artigos vendidos nas cidades da ilha. Os locais habitados por nobres recebiam pinturas elaboradas com cerâmica decorativa nas paredes. Os artistas criavam, com riquezas de detalhes, cenários de festas repletas de convidados ilustres, cerimônias locais e celebrações matrimoniais. Antes de ficarem prontas, as peças de cerâmica eram cozidas em fogueiras para solidificar suas formas. Um dos principais estilos utilizados pelos minoicos se tornou conhecido como Pírgos. O método, formado por desenhos esfumaçados com formas polidas e lineares, remete à cidade grega de mesmo nome, também dominada pela civilização.

FIGURA FEMININA

A religiosidade adotada pelos membros da sociedade minoica misturava suas cerimônias hierárquicas com momentos de adoração aos deuses. Para os líderes gregos, os seres espirituais estavam diretamente ligados às forças da natureza, o que criou o hábito de realizar diversas oferendas em torno do Mar Egeu. Praticamente não existem evidências arqueológicas que comprovem a crença religiosa seguida pelos habitantes da cidade, mas repetidas esculturas encontradas pelo território indicam a existência de uma deusa-mãe, vista pelos gregos como divindade soberana. Diversos trabalhos artísticos, entre eles pinturas e estatuetas, mostram mulheres maquiadas, usando corpetes sensuais que revelavam parte dos seios. A maioria dos estudiosos acredita que os minoicos consideravam a figura feminina símbolo de fertilidade, especialmente as partes íntimas de seu corpo. Membros da nobreza de Creta participavam de muitas festas realizadas em palácios, sempre regadas a vinhos e petiscos tradicionais da região. Os encontros eram organizados minuciosamente pelas mulheres influentes entre as cidades gregas colonizadas. Embora não tivessem as mesmas funções administrativas que os homens nobres, as senhoras monarcas conquistaram um grande respeito dos súditos.

HISTÓRIA MITOLÓGICA

O pesquisador britânico Arthur Evans foi o primeiro a encontrar vestígios arqueológicos deixados pelos gregos da antiguidade, no século XIX. Como não existem registros sobre o verdadeiro nome da civilização atuante na Ilha de Creta, ele a batizou de sociedade minoica em alusão à mitologia cultural do rei Minos. Segundo a lenda, o Labirinto de Creta, construído pelo artesão Dédalo, foi um monumento projetado especialmente para o Minotauro. O personagem, metade humano, metade touro, era extremamente popular entre os povos diante da forte simbologia em relação ao animal na comunidade. Acredita-se que a teoria tenha origem na arquitetura do Palácio de Knossos. Os cidadãos mais pobres observavam o monumento apenas pelo lado de fora, ouvindo histórias de suas semelhanças com um labirinto. As ruínas da construção são, até hoje, um dos pontos turísticos mais visitados da Grécia e reúnem muitos contos mitológicos ligados à existência do rei Minos, considerado filho de Zeus.

TERREMOTO DEVASTADOR

Em 1700 a.C. um violento terremoto destruiu a Ilha de Creta e seus principais monumentos, como os palácios de Knossos, Malia, Kato e Zakros. Após um breve período, a região foi completamente reconstruída, abrigando ainda mais pessoas. Durante todo o processo de renovação dos palácios, diversos grupos especializados em trabalhos civis fiscalizaram as obras. Novos sistemas de esgoto foram instaurados e desenvolveu-se uma temporada de produção de estátuas representativas da rotina da cidade, exaltando constantemente a figura feminina. Nessa mesma época, os homens dedicados às funções marítimas ergueram navios capazes de atravessar toda a extensão do Mar Mediterrâneo. A fase de ouro da civilização aconteceu durante o início do período Neo-Palaciano. Os domínios minoicos se estenderam para outras colônias do Mar Egeu e da Sicília. As rotas comerciais alcançavam cada vez mais territórios abastecendo a economia grega e transformando as cidades em verdadeiros impérios.

Após uma longa temporada de sucesso consecutivo, a cultura de Creta começou a entrar em decadência no final do século XV a.C. Um novo terremoto, agora de maior proporção, atingiu a ilha destruindo todos os centros comerciais e seus principais monumentos, entre eles o Palácio de Knossos. A erupção de um vulcão na Ilha de Santorini trouxe um intenso maremoto que acabou com todos os portos utilizados pela marinha da cidade. O solo, agredido, criou sérias dificuldades para a produção de alimentos. Pressionados pelos problemas econômicos e sociais, os minoicos protagonizaram uma extensa guerra civil entre as colônias. O clima caótico na região facilitou a invasão de grupos Dórios, vindo de extensões montanhosas da Grécia. Em meados de 1380 a.C., os últimos habitantes da civilização de Creta fugiram para o leste do país.

LEGADO CULTURAL

Os avanços culturais conquistados pela sociedade minoica influenciaram diversos povos que habitaram posteriormente as regiões em torno do Mar Egeu. O legado deixado pela população de Creta representa os ideais de pessoas pacíficas, religiosas e respeitosas diante da posição feminina em aspectos culturais, sociais e administrativos. Uma das sociedades mais sofisticadas da cultura grega foi diretamente inspirada pelos conceitos promovidos pelos minoicos. A civilização Micênica ascendeu com grande talento artístico adotando direitos iguais para as mulheres locais. Sua existência se deu entre 1600 a.C. e 1050 a.C. Pouco se sabe sobre os motivos que ocasionaram seu desaparecimento, porém alguns historiadores apostam em um novo ataque dos Dórios ao território.

Pintura minoica retratando os trajes usados pelos homens

AS ROUPAS USADAS PELOS MINOICOS

As mulheres cumpriam um importante papel na civilização em questões sociais. Suas roupas eram consideradas modernas para a época, com muitos babados, cintura modelada e ajuste na região dos seios. Todas as peças passavam por um processo de corte para remanejar o caimento de acordo com as curvas do corpo feminino. O tecido alongado formava elegantes vestidos que, na maioria das vezes, eram acompanhados por acessórios semelhantes a chapéus. Penteavam os cabelos cuidadosamente e sempre apareciam limpas e bem cuidadas.

Os homens usavam uma espécie de tanga masculina que podia ser de lã, couro ou linho, dependendo da temperatura de cada ocasião. A estrutura da peça evidenciava a cintura, dando um aspecto de número menor à vestimenta. Especula-se que isso possa ser um sinal de que os minoicos utilizavam as mesmas tangas desde a adolescência. Já os nobres da comunidade gostavam muito de usar joias em aparições públicas, como pedras ametistas, pérolas ágata e cristal de rocha.

O REINO MÍSTICO DE ATLÂNTIDA

13

A CIDADE PERFEITA DESCRITA POR PLATÃO É UMA DAS MAIORES INCÓGNITAS DA ARQUEOLOGIA MUNDIAL, QUE SEGUE SUAS BUSCAS NA INTENÇÃO DE ENCONTRÁ-LA NO FUNDO OCEANO

Apesar de não ser considerada oficialmente uma civilização antiga, a história de Atlântida representa um dos maiores mitos da humanidade em diferentes épocas. Segundo a versão da lenda mais conhecida, a cidade perdida teria desaparecido de forma meteórica durante pouco mais de um dia e uma noite.

O centro de terras douradas e belas formava um poderoso império extremamente populoso. Toda a estrutura social e cultural havia sido construída em frente ao Mar Mediterrâneo, em uma ilha remanescente do continente Atlântico. Os moradores se dividiam entre atividades agrícolas, utilizadas para alimentação própria e comércio, artesanato e serviços de segurança da guarda militar local. No campo religioso, cultuavam fervorosamente os antigos deuses populares na cultura grega. Os animais eram domesticados e, muitas vezes, usados como forma de demonstrar a soberania entre os membros da nobreza. No centro da cidade, descrita lendariamente como retangular, havia uma infinidade de pomares com produções abundantes de frutas diferentes a cada estação. Essas características harmoniosas são as principais responsáveis por Atlântida ser constantemente comparada com o paraíso bíblico.

CITAÇÕES FILOSÓFICAS

A primeira referência sobre Atlântida foi feita pelo filósofo grego Platão em duas de suas principais obras durante o século IV a.C. No primeiro ensaio, a narrativa utiliza as declarações do personagem principal para relatar a existência de uma comunidade localizada além das Colunas de Hércules, no estreito de Gibraltar. Já no trabalho efetuado em "Crítias" ou "A Atlântida", o filósofo esclarece diversas características internas da cidade misteriosa, iniciando naquele momento as primeiras lendas sobre o povo atlantes. Plantão conta sobre as maravilhas da cultura estabelecida na sociedade, detalhando a religiosidade, a beleza natural da região e a arquitetura dos templos, com monumentos cobertos de ouro. Diante da visão do filósofo sobre Atlântida, até os gregos mais céticos passaram a acreditar que se tratava de uma civilização perfeita, movida por leis extremamente justas. Algumas teorias relacionadas ao mito da cidade perdida acreditam que Platão pode ter escrito seus relatos baseado na existência de uma comunidade emergente na ilha de Thera, há mais de 3.500 anos. Já uma pequena parcela de cientistas defende que tudo não passa de uma criativa fábula inventada pelo filósofo para incrementar o imaginário popular.

REINO POSEIDON

Segundo as histórias contadas por Platão, os deuses da mitologia grega se dividiam para cuidar de todas as fontes da natureza, tornando-se soberanos em sua especialidade. O império onde habitava a sociedade de Atlântida era governado por Poseidon, o Deus dos Mares. Após milênios de solidão, ele teria se apaixonado por uma jovem humana chamada Cleitó. Preocupado com a segurança de sua amada, que vivia em uma montanha no centro da cidade, o soberano decidiu isolar o território, cercando todos os espaços com água, terra, muros e fossos. Dessa inusitada união nasceram cinco pares de filhos gêmeos. Como uma forma de permanecer sendo reconhecido por seu senso de justiça inabalável, a divindade dividiu a extensão geográfica da ilha em dez partes, presenteando cada descendente com um pedaço de terra. O herdeiro mais velho foi batizado como Atlas e desde seus primeiros anos passou por um intenso treinamento para receber o poder depois que seu pai abandonasse o trono. Mais tarde, Atlas se tornaria o gigante mitológico que sustentava os céus. Durante séculos, na tradição grega, o primogênito de cada um dos reis assumia seu posto sucessivamente. Apesar de serem guiados por ideais de igualdade, os deuses conduziam o governo com mãos de ferro, podendo condenar os infratores a mortes impiedosas.

RITUAIS SOBERANOS

Existia uma espécie de tribunal de júri formado pelos monarcas, que se reunia a cada quatro ou cinco anos para discutir as questões administrativas da Grécia e jugar as decisões tomadas internamente por cada um. Todas as medidas precisavam da aprovação de Poseidon antes de ser colocadas em prática. Durante o evento aconteciam ritos tradicionais de Atlântida, em que os reis eram cercados por vários touros em um pátio, no Templo de Poseidon. O ponto principal da cerimônia consistia no mo-

Shutterstock

Estátua de Atlas, o gigante que sustentava os céus

mento em que os animais eram degolados e tinham seu sangue espalhado pelo corpo dos deuses. Ao final, os restos mortais dos touros queimavam em uma fogueira, enquanto cada soberano pronunciava um extenso juramento de lealdade e respeito aos territórios gregos. Embora as lendas não revelem com exatidão o número de moradores de Atlântida, Platão descrevia a extensão territorial da ilha como maior do que a Líbia e a Ásia juntas. Segundo estudiosos, os gregos não conheciam a dimensão geográfica exata desses lugares naquela época.

MITOLOGIA POPULAR

Nos relatos de Platão, Atlântida havia desaparecido 9 mil anos antes de sua existência. A ausência de registros físicos sobre a civilização teria sido causada pela destruição promovida por colonizadores de todos os continentes. A maioria dos invasores, ao conquistar o poder, ordenava a queima de qualquer material relacionado às histórias do passado de cada povo. O mito sobre Atlântida é tão popular que já foram publicados mais de 5 mil livros, artigos e revistas sobre a cidade perdida ao longo dos séculos em todo o mundo. Outra vertente da lendária história da ilha perdida define o território como a primeira civilização do planeta. Até então, todos os homens eram considerados bárbaros.

O governo formado por deuses gregos alcançou tanto poder que os domínios da sociedade se expandiram para o Rio Mississipi, o Golfo do México, a costa ocidental da Europa e da África, o Mar Negro, o Mar Cáspio e a costa do Pacífico na América do Sul. Todos esses locais teriam sido povoados por descendentes dos atlantes, garantindo a formação de civilizações tão bem estruturadas quanto a existente na Grécia antiga. Especula-se que a primei-

Shutterstock

Estátua de Poseidon, Deus dos Mares, no fundo do mar da Grécia

ra área colonizada por Atlântida tenha sido o Egito, em uma reprodução social exatamente igual à forma de vida adotada na ilha. Cientificamente não existe nenhuma evidência que comprove a passagem de exploradores atlantes por esses locais. Nos contos de Platão, os habitantes de Atenas chegaram, até mesmo, a duelar contra o exército de Atlântida para impedir o confisco de suas terras.

IRA DOS DEUSES

Foi justamente esse desejo de conquistar outros territórios o grande responsável pelo desaparecimento da civilização. Como os deuses ofereciam tudo o que os habitantes necessitavam na ilha, acreditava-se que eles viviam felizes em seu paraíso particular. No entanto, a colonização de outras regiões demonstrou a concentração de sentimentos egoístas entre a população. A riqueza e o poder existentes em Atlântida já não eram mais suficientes para seus moradores, que almejavam cada vez mais artefatos de materiais preciosos. Conhecida por suas vilas harmoniosas, a ilha perdida passou a ser um ambiente hostil, com diversas brigas entre os líderes das expedições, que nesse período tentavam dominar a capital Atenas.

A ambição do povo tomava enormes proporções e os conflitos se agravaram ao ponto de Zeus, o deus do Olimpo, convocar uma assembleia extraordinária formada por todas as divindades da mitologia para decidir qual punição seria aplicada à população. A hipótese mais comentada relata que Atlântida teria sido castigada com terremotos aquáticos que invadiram toda a sua extensão territorial, arrastando a ilha inteira para o fundo do mar sem deixar vestígios de sua existência.

ESCRITA ATLANTE

Em algumas mitologias, os habitantes da ilha se comunicavam por meio da língua basca. O idioma é um dos mais isolados do mundo atualmente, sendo utilizado apenas pelo próprio país Basco, localizado entre o nordeste da Espanha e o sudoeste da França. De tão raro, os dialetos não estão classificados nos grupos oficiais de línguas europeias. Os elementos formadores de palavras se assemelham minimamente às expressões usadas pelos povos incas e pelas sociedades uralo-altaicas, compostas por finlandeses, húngaros, turcos e estônios. A composição de grandes frases faladas por apenas uma palavra remete também às línguas usadas pelos esquimós e tribos indígenas. O sistema de escrita relacionado à criação do alfabeto simbólico da linguagem teria sido utilizado pelos atlantes para descrever acontecimentos de seu dia a dia em manuscritos. O próprio nome da ilha pode ter sido muito diferente de Atlântida que, provavelmente, foi elaborado por Platão em seus trabalhos.

RELAÇÃO SUL-AMERICANA

Embora a maioria das suposições localize a ilha perdida de Atlântida em regiões do Oceano Atlântico, o renomado físico peruano Enrico Mattievich decidiu questionar essa tese. Ele defende que a civilização antiga, na verdade, era uma colonização na América do Sul. Os estudos referentes a essa hipótese tiveram início há 35 anos, após o físico visitar o Palácio de Chavin de Huantar, em sua terra natal. Repleto de vestígios arqueológicos, o local exibia a figura da Medusa refletida em uma rocha. A personagem é descrita pela mitologia grega como a imagem feminina de um monstro com os cabelos formados por serpentes. O simbolismo cultural contido na gravura inspirou o físico a pesquisar em detalhes uma possível ligação entre o continente sul-americano e a Grécia. Além da rocha de Medusa, diversos artefatos encontrados no palácio também chamaram a atenção de Mattievich.

Baseado em seus estudos, ele identificou uma espécie de liga de ouro e prata que ganhava tonalidades avermelhadas ao entrar em contato com o cobre. O metal, chamado de coriculque, foi desenvolvido pelo Império Inca e seria muito semelhante ao oricalto, tido teoricamente como popular em Atlântida. Para o físico, os atlantes descobriram a maioria dos pontos da América do Sul com o intuito de explorar as riquezas naturais da região. As afirmações das narrativas de Platão teriam somado erradamente as datas de atividades em Atlântida devido à falta de documentos históricos que comprovassem as lendas.

VERSÃO DE ARISTÓTELES

O mais conhecido dos alunos de Platão, o filósofo grego Aristóteles, considerava completamente inverossímil a forma como a história de Atlântida foi encerrada. Ao concluir seus estudos, montou uma escola muito semelhante à de seu mestre, se tornando um concorrente direto. Entre seus aprendizes mais famosos está Alexandre, O Grande, um dos célebres reis da Grécia antiga. Para Aristóteles, a cidade de Atlântida nunca existiu. Todo o mito teria sido criado na mente de Platão para agradar ao público com uma intensa narrativa de mistério. Ao longo dos séculos, muitos especialistas demonstraram esse mesmo ceticismo em relação à mitologia de Atlântida. Grande parte do mundo acadêmico aborda o assunto com certo tom de descaso por acreditar ser apenas uma fábula popular. Porém, existem diversos grupos de pesquisadores que alegam ser impossível ignorar a existência da ilha no passado. Para eles, os historiadores desprezam as evidências apenas por medo de terem cometido erros grotescos ao debochar das escrituras de Platão. Equipes entusiasmadas com os avanços tecnológicos disponíveis atualmente pretendem utilizar os recursos para realizar novas pesquisas e escavações mais detalhadas sobre o assunto.

VESTÍGIOS REGISTRADOS

De tempos em tempos, costumam surgir notícias sobre o encontro de ruínas que seriam de Atlântida. Somente no ano de 1986, a civilização foi "redescoberta" duas vezes. O primeiro relato aconteceu em extensões geográficas próximas ao Mar Mediterrâneo. Já a segunda informação veio das Bahamas, em áreas interligadas ao distrito de Bimini. Na região situada ao noroeste da capital, Nassau, um templo de Atlântida estaria voltando à superfície lentamente. Dois pilotos da Cayce Foundation alegam ter fotografado as ruínas durante voos próximos ao distrito. A equipe estava justamente procurando por provas visuais das notícias veiculadas pela imprensa. Escavações marítimas concluíram que o monumento submergido possui pedras em seus alicerces e as paredes estão preservadas.

No entanto, nenhuma relação com a cidade perdida foi confirmada. Como a construção está muito perto do porto, medidas de segurança precisaram ser tomadas na época para impedir ações de saqueadores de tesouros. Ao longo dos anos, diversas evidências apareceram relacionadas à mitologia grega. Uma das mais interessantes foi encontrada em torno de ilhas do Caribe. No fundo do oceano, próximo à costa do Haiti, existiria uma cidade inteira submersa. Ainda que não tenham solucionado o grande mistério, os vestígios registrados surpreenderam os arqueólogos ao comprovar que essas regiões, no passado, eram formadas por terra seca. Diante de cada descoberta sobre ruínas surgem novas teorias sobre Atlântida. Em 2015, o espanhol Manuel Cuevas, especialista em estudos sobre a mitologia grega, afirmou ter localizado a cidade perdida nas águas profundas do Parque Nacional de Doñana, na região de Andaluzia, na Espanha. De acordo com imagens captadas por satélites virtuais, ele alega que as ruínas são iguais às citações de Platão ao retratar a área como circular, com cerca de oito quilômetros de extensão.

HISTÓRIAS E LENDAS DE LEMÚRIA

14

ENTRE MITOLOGIAS DISCUTIDAS POR SÉCULOS E PESQUISAS INCANSÁVEIS, O TERRITÓRIO DESCONHECIDO DESPERTA O INTERESSE DE ESTUDIOSOS DE VÁRIAS VERTENTES CIENTÍFICAS

Ilustração de homens nas Eras glaciais, quando a temperatura do planeta caiu bruscamente

Cercada de lendas e mistérios, a história do continente Mu, também chamado de Lemúria, permanece sem comprovações arqueológicas até os dias de hoje. De acordo com as teorias mais conhecidas, a extensão de terras estaria submersa em algum ponto do Oceano Pacífico. As discussões sobre o tema nasceram durante o século XIX reunindo, ao longo dos anos, a opinião de diversos especialistas em todo o mundo. Muito popular entre os seguidores do ocultismo, o pensamento Catastrófico defende que as grandes tragédias naturais são as principais causas de alterações geográficas e étnicas da Terra. Criada pelo naturalista Georges Cuvier, em 1812, a filosofia revolucionária foi igualmente adotada na região de Tâmil Nabu, na Índia, e é considerada uma das explicações possíveis para esse mistério. Grupos metafísicos participaram de pesquisas em busca de evidências deixadas pelos povos que teriam habitado Mu. Embora tenham contribuído para a disseminação de outros mitos sobre o continente perdido, não conseguiram registrar descobertas importantes. Alguns etnólogos relacionam as particularidades de Lemúria com a rotina cultural do povo de Atlântida. Mesmo que tenham convivido por um curto espaço de tempo, quando a civilização mencionada por Platão desapareceu, os moradores de Mu estavam iniciando suas primeiras atividades.

INFORMAÇÕES POLÊMICAS

A localização exata de Lemúria é um dos temas mais polêmicos para os geógrafos. Segundo a versão mais aceita, o continente estaria submerso em uma região chamada de "Anel de Fogo". A área elevada, de grande instabilidade, fica a oeste das Américas, a leste da Ásia e da Oceania. Fenômenos naturais ocasionam terremotos e outras tragédias devastadoras em diferentes escalas na região. Especula-se que após longos períodos de inatividade, a extensão terrestre pertencente a esta zona pode voltar a convulsionar, causando grandes mudanças territoriais e geológicas de longa duração, como aconteceu no período glacial.

Antes de desaparecerem em decorrência da violenta erupção de um vulcão, os habitantes de Mu podem ter recebido inúmeros sinais da natureza indicando a proximidade de uma catástrofe. Mesmo vivendo em uma sociedade muito avançada para a época, os povos desconheciam a possibilidade de alterações territoriais tão severas. Uma das poucas unanimidades entre os estudiosos é sobre o período de existência do continente perdido, supostamente durante a pré-história.

TERCEIRA RAÇA

Existe uma série de divergências entre as histórias centradas na vida dos habitantes de Mu. A maioria dos relatos indica que a civilização conquistou status de metrópole, desenvolvendo avanços sociais e tecnológicos. Já as lendas ligadas ao ocultismo afirmam que os homens de Lemúria se dedicavam aos estudos e às práticas de magia negra. Uma terceira hipótese aumentou ainda mais a curiosidade sobre a origem desses povos. Segundo estudiosos da Teosofia, os moradores do continente submerso pertenciam a uma terceira raça - seres com mais de cinco metros de altura, considerados humanos com características de répteis e dragões. A hipótese reptiliana foi criada pela influente escritora russa Madame Blavatsky, principal líder da Sociedade Teosófica. Em diferentes épocas, povos do Camboja, Índia e Austrália disseminaram essa afirmação sobre Lemúria enquanto investigavam o tema. Os nativos do continente também seriam hermafroditas com três olhos, com o terceiro localizado na nuca. Para os teosóficos, a humanidade vivenciou quatro etapas de evolução. A estrutura humana dos habitantes de Mu seria a primeira associada a um corpo físico.

TEORIAS SOCIAIS

Em seu apogeu, Mu pode ter sido um continente fértil, repleto de ouro, cobre e prata. Existiam muitas lendas sobre a população de Lemúria antes da chegada dos europeus à América. Após a descoberta do Novo Continente, em 1492, os mitos foram considerados irrelevantes durante muito tempo com a extinção de grande parte da cultura dos territórios colonizados. O escritor ocultista James Churchward foi um dos primeiros a retomar a discussão sobre o assunto ao decifrar diversos traços escritos em pedras. Em 1926, ele publicou a obra literária “O Continente Perdido de Mu: Pátria do Homem”, em que contava detalhes de suas escavações e descobertas. Os registros escritos sobre a sociedade definiam sua localização ligeiramente abaixo da linha do Equador. Outra informação geo-

Ilustração do Jardim do Éden, segundo a descrição da Bíblia

graficamente importante revelava a extensão da área com 9.600 quilômetros de Leste a Oeste, e 4.800 quilômetros de Norte a Sul. O escritor teve acesso a todos estes dados enquanto cumpria uma extensa missão militar na Índia. Diversos sacerdotes locais teriam contribuído com as pesquisas indicando, durante o ano 1880, locais apropriados para encontrar vestígios do continente. Um dos sacerdotes acreditava, inclusive, ser um dos descendentes da civilização Lemúria.

JARDIM DO ÉDEN

Cientificamente, a maioria das informações escritas por Churchward são apenas lendas disseminadas pelos indianos. No entanto, suas histórias ficaram famosas e contribuíram para o despertar de muitos especialistas interessados em estudar a região. Um dos mitos mais conhecidos alega que a extensão do continente seria, na verdade, o Jardim do Éden, local de origem do ser humano há mais de 200 mil anos. Segundo a tradição bíblica, especificamente no Livro de Gênesis, Deus criou Adão e Eva para cultivar e prosperar esse solo sagrado. O território teria passado por mudanças consecutivas até ser habitado pela comunidade de Mu. A partir desta suposição, surgiram várias outras especulações garantindo que todos os habitantes do mundo são descendentes dos povos do continente perdido. Os colonizadores da região teriam se separado por diferenças raciais e migrado para construir outras civilizações legendárias, como Atlântida e o império Uigur. A revelação ligada às escrituras sagradas fez com que grupos de religiosos fanáticos se interessassem em estudar os mistérios de Mu.

Atualmente, um grupo de americanos afirma ser descendente dos habitantes de Mu. Segundo teorias defendidas por eles, alguns membros da população pré-histórica teriam conseguido fugir e prosperaram em outros territórios. Apenas algumas pessoas deste clã seriam escolhidas para receber orientações espirituais de seus ancestrais.

SOCIEDADE AVANÇADA

Os maiores feitos realizados pelos habitantes de Mu remetem à construção de monumentos megalíticos, extremamente avançados para o período de sua existência. Cada edifício era planejado engenhosamente para resistir a uma série de desastres naturais. Diversas teorias mostram as falhas desse sistema, já que a civilização teria desaparecido em decorrência de terremotos e grandes convulsões na região do "Anel de Fogo". Dividida em sistemas hierárquicos, a comunidade pré-histórica teria adotado um simplificado conceito de governo monarquista, responsável pela disseminação de línguas e escrituras locais. Especula-se que cada habitante só poderia ser considerado adulto ao completar 28 anos de idade. Os estudos sobre questões universais eram obrigatórios durante boa parte da vida de um nativo. Segundo versões ainda não comprovadas por arqueólogos, o domínio exercido pelos povos se estendia entre o Havaí, a Ilha de Páscoa e Fiji, na Oceania. Apesar da falta de credibilidade de algumas teorias apresentadas, muitos cientistas afirmam que realmente existem diversos motivos que causariam o desaparecimento de todas as partes de um mesmo continente no oceano.

MACACOS NATIVOS

Charles Darwin, autor da teoria da evolução, citou a existência de Lemúria ao tentar explicar geograficamente as espécies de animais e de plantas. Segundo as informações levantadas pelo famoso naturalista, no território viviam macacos nativos que se espalharam posteriormente por Madagascar, Índia e algumas áreas da África Meridional. Para concluírem viagens de longa distância em níveis tão avançados, os primatas de Mu precisariam contar com uma extensão terrestre composta por faixas interligadas entre dimensões continentais, que posteriormente teriam desaparecido. A zona perdida passou a ser conhecida também como Lemúria após o zoólogo britânico Philip Sclate escolher esse nome para identificar as faixas continentais evidenciadas por Darwin. Em algumas teorias, a inexistência de provas culturais da sociedade teria causado um buraco na antropologia ao impedir registros de evoluções no intervalo entre macacos e humanos.

ATLÂNTIDA BRASILEIRA

Em maio de 2013, expedições realizadas pelo Serviço Geológico do Brasil, em parceria com a Agência Japonesa de Ciência e Tecnologia da Terra e do Mar (Jamstec) localizaram evidências relevantes para a arqueologia mundial. A 1500 quilômetros da costa Sudeste brasileira havia um continente que pode ter afundado após movimentações severas das placas tectônicas. Desde a descoberta, estudiosos trabalham para comprovar o desaparecimento do planalto gigante na região mais rasa da elevação do Alto do Rio Grande. Para coletar material remanescente no oceano, as equipes utilizaram a tecnologia de um aparelho chamado Shinkai 6500. O artefato japonês chega a alcançar 6.500 metros de profundidade. Durante trabalhos anteriores com drenagem, os pesquisadores brasileiros já haviam encontrado composições de granito ligadas ao continente no assoalho oceânico.

Alguns arqueólogos acreditam que o material encontrado pode ter se soltado do território ocupado hoje pela cidade de São Paulo. As atividades de mergulho duravam em média oito horas, submergindo até 4.200 metros. Os especialistas coletaram rochas continentais, mas também encontraram espécies marítimas desconhecidas em estado crítico de habitação e corais de águas profundas. A expedição recebeu o apelido de Iatá-Piuna em homenagem ao Brasil. O nome foi retirado do Tupi-Guarani e significa "navegando por águas profundas e escuras". Além dos trechos do Alto Rio Grande, as equipes estiveram na Cidade do Cabo, na África do Sul, e na cordilheira de São Paulo.

VESTÍGIOS MAIAS

O autor francês Charles Étienne Brasseur de Bourbourg descobriu em uma biblioteca de Madri, na Espanha, em 1864, arquivos que teriam pertencido aos povos Maias residentes na América Central. As notas possuíam chaves de tradução para os símbolos utilizados na escrita da extinta civilização. Diante das descobertas realizadas a partir do manuscrito, pesquisadores decifraram informações sobre a história de Mu. Os documentos relatavam acontecimentos de uma antiga sociedade que teria sido dominada pelas forças do oceano após sofrer com erupções vulcânicas. Era possível identificar nos textos duas imagens muito semelhantes às letras M e U. Os traços contavam a história da disputa entre dois irmãos pela mão da rainha do território. A competição resultou na morte de um deles, abrindo o caminho da glória para o sobrevivente. Durante as tragédias naturais que extinguiram o continente, a rainha teria fugido para uma área protegida pela deusa "Isis". Segundo lendas, ela seria a responsável pela criação da esfinge e da civilização egípcia.

O LEGADO SANGRENTO DOS GUERREIROS CIMÉRIOS

15

EXPULSA DE SUA TERRA NATAL, A POPULAÇÃO CIMÉRIA FICOU CONHECIDA COMO COMPOSTA POR NÔMADES GUERREIROS DISPOSTOS A TUDO EM BUSCA DE RIQUEZA

Os povos cimérios existiram por volta de 1300 a.C., construindo sua civilização na região norte de Cáucaso, localizada próximo a uma das fronteiras entre a Europa Oriental e a Ásia, em torno do Mar de Azov. A primeira citação histórica sobre a população apareceu nos registros anuais organizados pelo reino da Assíria em meados de 714 a.C. O relato descrevia como as tropas do soberano Sargão II foram ajudadas por uma comunidade, supostamente chamada de Gimirri, a derrotar o império de Uratu, centrado no planalto da Armênia. Especula-se que a terra natal dos cimérios seria um território conhecido como Gamir ou Uishdish, situado no Estado-tampão de Mannai. Em definições arqueológicas, as informações sobre a origem dos cimérios são extremamente escassas. No entanto, acredita-se que eram povos índo-europeus. Pouco tempo depois, a população foi expulsa de Cáucaso pelos Citas, grupos de pastores iranianos nômades, e seguiram rumo à Anatólia. Uma série de especulações sobre este período indica que os cimérios aceitavam em sua comunidade mercenários, conhecidos como Khumri. Na maioria das vezes o ingresso dos membros era consentido pelo rei Sargão II.

DOMÍNIOS SANGRENTOS

Especula-se que grupos da civilização tenham saqueado o Reino de Uratu, causando a ira de Sargão II. Durante um longo conflito, os guerreiros cimérios destruíram o exército do soberano, assassinando-o em seguida. O processo de migração da população foi acompanhado de perto pelos assírios que, possivelmente, tramavam uma vingança pela tragédia ocorrida com seu rei. Aproximadamente em 696 a.C. ocuparam partes importantes do território da Frígia, atual Turquia. Os monarcas locais acabaram sendo capturados, torturados pelos invasores e executados dias depois. Apenas o lendário rei Midas, personagem da mitologia grega, resistiu aos guerreiros nômades ingerindo veneno e morrendo antes que pudesse ser preso. Acredita-se que o apogeu da população ciméria tenha ocorrido em 652 a.C., quando tomaram a região de Sárdis, capital da Lídia. Todas as invasões seguiam o mesmo processo de espalhar pânico com suas tropas de guerra, dispostas a derramar sangue em busca de novas terras. Sob o comando de um novo líder, conhecido como Teushpa, atacaram a zona pertencente até então ao Tabal e a Cilícia. No entanto, o exército reunido pelo rei Assarhaddon, da Assíria, conseguiu derrotá-los antes da conclusão de seus ideais. A batalha teria acontecido em trechos de Hubushna, local que algumas teorias defendem ser a Capadócia.

ESTRATÉGIA DE GUERRA

Abatidos pelo fracasso recente, os cimérios decidiram dominar outras partes do Reino da Lídia. Preocupados com as constantes ações desses invasores, nobres de diversas regiões vizinhas decidiram unir seus exércitos para derrubar definitivamente o alto poder de batalha dos adversários. A parceria de guerra entre lídios e assírios foi fundada a partir de um tratado

Escultura da Mesopotâmia retratando os reis da Babilônia e da antiga Assíria

que garantia o pagamento de tributos pelo rei Giges mediante o auxílio prestado pelas tropas adicionais. A população ciméria, no entanto, só retomou suas estratégias de invasão dez anos depois. Voltaram ao território durante a ascensão do império construído pelo herdeiro de Giges, o soberano Ardis II. Os guerreiros cimérios usavam as mesmas estratégias sangrentas de ocupação que continuavam aterrorizando os habitantes das cidades. Invadiram os principais pontos comerciais de Sardes, comandando uma série de ações saqueadoras que fecharam quase todos os vilarejos da região. Uma grande epidemia pode ter sido um dos motivos que tornaram a ocupação das terras pela população ciméria menos intensa do que em outras ocasiões. Por volta de 626 a.C., eles foram derrotados novamente por homens comandados por Aliates II. Com a execução de grande parte da tropa de guerreiros cimérios, os povos lídios não ouviram outros relatos de ataques sofridos em suas intermediações.

CRENÇAS CULTURAIS

Segundo registros históricos, a comunidade ciméria costuma ser relatada como iraniana ou, em algumas ocasiões, como trácios, indo-europeus originários das regiões de Trácia, no sudoeste da Europa. Diante da expulsão do que julgavam ser sua terra natal pelos citas, em Cáucaso, os representantes nobres da antiga cidade se dividiram em grupos para lutar pelo direito de serem sepultados próximos aos túmulos de seus ancestrais. Como nem todos os monarcas cimérios concordavam com as questões estratégicas dessa batalha, acabaram brigando entre si, ocasionando muitas mortes. Os membros comuns da civilização, como camponeses e comerciantes, eram enterrados tradicionalmente em torno do rio Tyras. Após o desaparecimento da população na Lídia, acredita-se que os guerreiros tenham migrado para terras da Capadócia, onde permaneceram anonimamente. De acordo com teorias levantadas pelo historiador grego Heródoto, os cimérios e os trácios eram parentes próximos, habitando originalmente a costa do Mar Negro.

LÍNGUA NATIVA

Relatos gregos sobre os costumes desse povo indicam que as tribos remanescentes em outros territórios teriam adotado a cultura catacúmbica, muito popular no sul da Rússia antiga. Alguns vestígios da linguagem desenvolvida pelos cimérios foram encontrados em manuscritos deixados pelos assírios. Teorias disseminadas ao longo dos séculos alegam que o idioma falado pelos indo-europeus seria o ponto de ligação entre os dialetos usados por comunidades trácias e iranianas. Vários reis da civilização foram mencionados em escrituras da Grécia e do Império Mesopotâmico, entre eles Tugdamme e Sandakhshatra, que esteve no poder durante o final do século VII a.C. A maior parte dos registros sobre os cimérios foram contados por seus inimigos após os violentos ataques. Diversas lendas em torno da ocupação de Cáucaso afirmam que o povo cimério se dividiu entre monarcas e moradores comuns para enfrentar a chegada dos citas. A nobreza optou por resistir e lutar até a morte. Já a população decidiu migrar em direção à Lídia, localizado a leste da antiga Jônia. Segundo as escrituras deixadas por Heródoto, os túmulos dos aristocratas mortos ainda podem ser vistos no território perdido.

CITAÇÕES MITOLÓGICAS

Ao longo dos séculos, as lendas associadas aos cimérios foram abordadas em diversas escrituras de outros povos. Uma das citações mais comentadas surgiu dos registros produzidos pelos assírios. Teoricamente, a linhagem dos Francos, comandada por reis merovíngios, teria emergido de tribos antecessoras chamadas de Sicambros. No entanto, histórias mitológicas muito populares entre esse povo afirmavam que seus ancestrais verdadeiros eram grupos de cimérios abrigados na região. Alguns historiadores investigaram a possibilidade de os antepassados dos povos celtas e germânicos possuírem ligações hereditárias com os indo-europeus. Embora tenham utilizado como principal argumento a semelhança exacerbada entre termos das comunidades antigas, as alegações foram desacreditadas pela impossibilidade dessas populações terem estado na Europa Ocidental durante o século VII a.C. Posteriormente, especula-se

Escultura da Mesopotâmia retratando os assírios

que grupos remanescentes de guerreiros cimérios possam ter se deslocado para países nórdicos e extensões do rio Reno. Uma das indicações que podem comprovar esse mito seria a tribo de Cimbros, fundada no norte da Dinamarca.

MISTÉRIOS CITAS

A população dos citas, responsável por colonizar o Cáucaso após a expulsão dos cimérios, transformou a região em um importante vilarejo. A tribo de nômades permanecia saqueando outras áreas aproveitando-se de suas habilidades equestres. Foram uma das primeiras comunidades a utilizar cavalos como meio de transporte durante a antiguidade clássica. O animal também estava inserido no cardápio alimentar da população, que comia sua carne e bebia leite das éguas. Quando um membro das tropas citas morria durante uma missão, seu animal era sacrificado e recebia um enterro repleto de rituais respeitosos em áreas consideradas nobres das cidades.

O historiador grego Heródoto também se interessava diretamente pela história cultural e social desse povo. De acordo com seus estudos, os citas participavam de algumas cerimônias misteriosas em que usavam crânios de seus adversários mortos como taças de bebidas e consumiam maconha. A violência era uma das principais características de suas invasões, pois atacavam seus adversários sempre munidos de espadas de ferro, flechas, lanças e farpas capazes de atravessar várias partes do corpo. Em busca de riquezas escondidas, os guerreiros invadiram a região de Nínive, capital da Assíria. Pouco tempo depois firmariam um pacto com os governantes locais para combater a Babilônia e outras civilizações ascendentes.

EXPANSÃO AFORTUNADA

Os citas conseguiram ascender socialmente ao estabelecer colônias nos territórios ocupados hoje pela Romênia, Ucrânia, Moldávia e em algumas partes da Rússia. Entre as ações comerciais adotadas pela população, a mais lucrativa era servir de intermediários entre os gregos e os produtores rurais de outras áreas. As negociações tratavam da exportação de mel, cereais, trigo, peles de animais, vinho, armas e raríssimas obras de arte. Todo o planejamento dependia da necessidade de cada comerciante, já que em alguns lugares o cultivo agrícola era dificultado pela baixa fertilidade do solo. Apesar de bem-sucedidos economicamente, os citas também acabaram expulsos de Cáucaso pelos sármatas. A população iraniana dominou a região com tropas numerosas e extremamente violentas. Os materiais arqueológicos encontrados durante as pesquisas sobre as ruínas do local mostram diversos monumentos cobertos por ouro. Durante os primeiros séculos da era Cristã, o povo yuezhi, espalhado por pontos da Ásia, declarou guerra contra os citas. Não se sabe exatamente como essa antiga civilização foi extinta, porém acredita-se que sucessivos conflitos violentos tenham sido a principal causa.

RELAÇÕES FAMILIARES

A civilização dos trácios, considerada por muitas teorias como parentes diretos dos cimérios, se dividia em grandes tribos no território de Trácia, no sudoeste da Europa. Durante o século V a.C., ocuparam extensões entre o norte da Grécia e o sul da Rússia. De acordo com relatos de Heródoto, a comunidade era a segunda população mais numerosa do mundo na época. Cultuavam diversos deuses, entre eles Orfeu, a princesa Europa e Dionísio. Suas principais divindades, mais tarde, também fizeram parte da mitologia grega. Ficaram conhecidos como grandes artesãos no trabalho com cerâmica, pedra, ossos de animais e artefatos de metal. Construíram inúmeras esculturas de bronze, pintaram vasos com cenas do cotidiano e produziram canecas de ouro para os nobres.

Estrelas de pedra encontradas por pesquisadores na Ucrânia e na região de Cáucaso podem ter sido originadas na terra natal dos cimérios. Esses artefatos arqueológicos possuem características diferentes das estrelas relacionadas aos guerreiros citas, posteriormente.

O UNIVERSO MÁGICO DE SHANGRI-LA

16

BASEADA EM UM BEST-SELLER MUNDIAL, A HISTÓRIA DESSE TERRITÓRIO É INSPIRADA NA FORMAÇÃO DE UM VERDADEIRO PARAÍSO ESPIRITUAL EM MEIO ÀS MONTANHAS DO HIMALAIA

Em uma esfera totalmente mística, a civilização de Shangri-La seria um ponto de equilíbrio espiritual no mundo. A lendária história de um lugar onde o tempo não passa como na Terra e todos os habitantes vivem harmoniosamente felizes foi criada pelo escritor inglês James Hilton, na obra literária "Horizonte Perdido". Lançado em 1933, o livro se tornou uma importante referência cultural preservada por muitas gerações de aventureiros. A narrativa descreve um território mágico que estaria supostamente escondido entre as montanhas do Himalaia, no planalto do Tibete. O clima de tranquilidade do local é abordado como inatingível para os humanos residentes em cidades comuns. Para sentir essa sensação única de serenidade é necessário encontrar o místico vale e adaptar-se internamente ao cenário paradisíaco. A vida em Shangri-La segue rumos tão diferentes do mundo como conhecemos que seus habitantes não envelhecem com o passar do tempo. Todas as características da rotina moderna são esquecidas na mitologia, transformando os sentimentos das pessoas, que absorvem a energia emanada pelas montanhas misteriosas.

INSPIRAÇÕES REAIS

A inspiração para criar um refúgio terrestre místico veio de uma região que se tornou extremamente popular depois do grande sucesso literário. De acordo com uma série de teorias, Hilton se baseou nas terras de Diqing, localizadas nas províncias de Yunnan, no sudoeste da China. O triunfo comercial sem precedentes do livro fez com que o nome da capital do território fosse oficialmente alterado para Shangri-La, atraindo milhares de turistas durante o ano de 2001. Por estar completamente escondida entre serras e lagos, acredita-se que a área emana uma energia diferente aos visitantes que por lá passam. Habitado por uma população estimada em quase 34% de tibetanos, o vale segue todas as tradições culturais asiáticas, sendo internacionalmente conhecido por seu solo rico usado para a produção de ervas medicinais. Atualmente, as montanhas em formato de ziguezague são grandes atrativos para grupos de viajantes que procuram os monumentos descritos no livro.

A extensão geográfica está centralizada na Área de Preservação Ambiental de Yunnan, chamada pelos nativos de Três Rios Paralelos. Registros arqueológicos apontam que a comunidade, de 354 mil habitantes, foi colonizada há cerca de 6 mil anos pelos povos aborígenes Tubos. As lendas disseminadas pela narrativa de Hilton também atraíram para o local uma série de aventureiros e caçadores de tesouros. Apesar de ser uma região ligada à espiritualidade, misticismo e esoterismo, a parte turística de Shangri-La reúne diversos restaurantes, hotéis, lojinhas de lembranças e roteiros organizados por agências. Um dos pontos mais visitados no vale é a construção do Ganden Sumtseling Stompa, o mosteiro de estudos mais conhecido da China.

CARACTERÍSTICAS LOCAIS

O território de Shangri-La está a 3.200 metros acima do nível do mar. Os efeitos colaterais da altitude não chegam a atrapalhar os visitantes, já que é possível conhecer todas as partes do vale em apenas um dia. As casas possuem uma arquitetura diferenciada, com influências típicas da cultura tibetana, centrada na construção de grandes templos. Muitas crianças da região auxiliam os visitantes compartilhando elementos históricos sobre os monumentos ligados aos mitos literários de Hilton. Alguns fãs da obra acreditam que essa grande popularização e turismo na região é totalmente contrária aos conceitos originais de paraíso disseminados pelo escritor britânico. No centro antigo da comunidade existem várias ruínas deixadas por seus colonizadores, exibindo diversas moradias projetadas em estilo simples e tradicional. De julho a setembro chove quase que diariamente no vale, afastando consideravelmente os grupos de visitantes. Já nos outros meses do ano, a temperatura pode alternar entre todas as estações em um mesmo dia. No próprio idioma tibetano, o nome Diqing significa "região auspiciosa" pelas 26 etnias diferentes que habitam o local. A existência da comunidade, apelidada como Shangri-La, só ficou conhecida mundialmente após o sucesso do livro. O caminho até o paraíso místico pode ser feito em uma viagem de ônibus que dura aproximadamente quatro horas, por estradas repletas de lama.

ESGOTAMENTO MODERNO

Muitos pesquisadores acreditam que a grande repercussão do livro em diferentes épocas aconteceu por conta do clima estressante ocasionado pelos conflitos da vida moderna. As pessoas são cobradas intensamente em seus trabalhos, problemas financeiros costumam tirar o sono dos devedores e questões familiares ou de origem afetiva despertam crises de ansiedade e de autoestima em diferentes escalas. Todos esses problemas estariam causando uma crescente sensação de esgotamento nos humanos. Uma das mensagens transmitidas pelo livro sugere o direcionamento do olhar das pessoas para as questões realmente importantes, buscando um alto nível de qualidade espiritual neste mundo. A convivência livre de autoritarismo, acusações e questionamentos abordada por Hilton incentiva o caminho do autoconhecimento e a liberdade espiritual. De formas muitos particulares, os leitores podem adaptar as características de felicidade plena do livro para a sua rotina diária, acreditando que a existência do paraíso misterioso seria o refúgio ideal para escapar do caos presente na sociedade atual.

REVERBERAÇÃO INTENSA

Em decorrência do grande sucesso alcançado pelo mito de Shangri-La, as características do território mágico foram incorporadas em diversas vertentes artísticas. Bandas musicais, figuras públicas de vários campos de produção e estudiosos da Teosofia contribuíram ainda mais para disseminar as histórias sobre a narrativa de Hilton. Apesar de o livro ter alcançado um público numeroso, muitas pessoas só tomaram conhecimento sobre os elementos místicos presentes na região paradisíaca por meio das referências usadas em outras plataformas culturais. Muitas publicações literárias recentes também utilizam a popularidade do mágico local para alavancar o interesse do público por seu conteúdo. Escrito por Mitchell Zuckoff, o título "Perdidos em Shangri-La - Uma História Real de Sobrevivência e Aventuras" conta a história de 24 soldados americanos que embarcaram em um avião de carga para realizar um breve passeio aéreo pela área mística da antiga Diqing. Lançada em 2013, a narrativa aborda os relatos de três sobreviventes que conheceram as montanhas e os segredos locais de uma forma diferenciada. Até o momento, dois filmes foram produzidos a partir da obra de Hilton, lançados em 1937 e 1973.

SINOPSE LITERÁRIA

A mensagem positivista misturada a uma grande aventura transforma a história do famoso livro em inspiração para os leitores. Já no começo da narrativa, o texto de James Hilton torna impossível saber até que ponto os acontecimentos descritos na obra são verdadeiros. O autor conta em detalhes as crenças tibetanas relacionadas à existência do território mágico e revela como se inspirou em Diqing para compor todas as peças mitológicas de Shangri-La. O vale do Himalaia foi apresentado a ele por um amigo durante um encontro com ex-colegas da universidade em que se formou. No texto, quatro passageiros decolam de Baskul em direção ao leste, especialmente para sobrevoar as cordilheiras do Himalaia, a China e o Nepal. Após diversas alterações no trajeto, a aeronave é sequestrada, mas acaba caindo em um dos picos montanhosos da região. Como o piloto está morto, depois de uma longa espera, eles são socorridos por monges nativos que os levam para Shangri-La. Contrariados, os quatro personagens são obrigados a permanecer por 60 dias no vale místico, enquanto aprendem a se conectar com muitos segredos que mudam suas vidas para sempre. Logo após a publicação, a obra ganhou o prêmio Hawthornden, importante condecoração da literatura britânica.

HOMEM X MITO

O escritor James Hilton (1900-1954) trabalhou durante muito tempo com roteiros de cinema após ter lançado seu best-seller literário. Reconhecido por seu talento no Reino Unido, decidiu partir para Hollywood em 1935 para exercer várias funções. Escreveu seu primeiro romance, denominado "Catherine Herself", aos 16 anos, em 1920. Antes da mitologia sobre Shangri-La estourar mundialmente, participava com frequência de colunas literárias, contribuindo com vários jornais. Mesmo escrevendo outras obras nesse meio tempo, sua primeira experiência realmente bem-sucedida aconteceu em 1934, com o título "Adeus Mr. Chips (Goodbye Mr. Chips)". O romance, que tratava de um velho professor de forma simples, despertou o interesse do público por seus textos anteriores, causando a ascensão meteórica de "Horizonte Perdido", lançado um ano antes. Além do livro mitológico, a narrativa de "Fúria no Céu", de 1932, também caiu no gosto dos leitores. Na indústria cinematográfica, adaptou seus próprios romances para as telonas, vencendo o Oscar de melhor roteiro adaptado por "Goodbye, Mr. Chips". Era também um talentoso narrador de rádio e se tornou muito popular nos Estados Unidos por suas diversas vertentes artísticas. Escreveu uma infinidade de livros até falecer, em 1954, na Califórnia. Entre os títulos mais importantes estão "O Amor Nasceu do Ódio", lançado em 1933, "Não Estamos Sós", de 1937, e "Aquele Dia Inesquecível", de 1945. Além das adaptações de suas próprias obras, destacou-se no cinema com a narração de "Madame Curie", que estreou em 1943, e o roteiro de "A Dama das Camélias", de 1956.

A ILHA DA MAGIA E DO MISTICISMO

17

PARTE ESPECIAL DA LITERATURA MEDIEVAL INGLESA, A ILHA ENCANTADA DE AVALON ABRIGA AS HISTÓRIAS DO REI ARTHUR E OUTROS SEGREDOS AINDA NÃO DESVENDADOS

A ilha de Avalon ficou mundialmente conhecida ao fazer parte da lendária história do Rei Arthur. O local, que se destaca por suas forças místicas, é citado pela primeira vez no conto "A História dos Reis da Bretanha", escrito pelo galês Geoffrey de Monmouth, em 1138. Os elementos mágicos do território o identificam como o lugar onde a poderosa espada do Rei Arthur, Excalibur, foi forjada. A ilha teria ações curativas, acolhendo o personagem britânico após um sangrento conflito, para se recuperar de graves ferimentos. Pouco se sabe sobre a origem da região, porém suas atividades remetem ao fim do século V, durante as batalhas do herói literário contra invasões dos Saxões na Grã-Bretanha. Em algumas versões da mitologia local, o Rei Arthur é levado para uma diferenciada versão de Avalon que torna seus habitantes imortais, em uma espécie de universo paralelo.

Ao longo dos séculos, os ingleses cultivaram diversas lendas em torno dos acontecimentos relacionados ao personagem medieval. De acordo com a mitologia, as terras encantadas seriam comandadas pela sacerdotisa pagã Viviane, a Dama do Lago, que também é tia de Arthur, acompanhada por nove donzelas encarregadas de cuidar da saúde do protagonista em um leito de ouro. Já em outras teorias criadas a partir de evidências encontradas nos livros, o herói inglês não resistiria à longa viagem após ser ferido em um embate pela disputa do comando e termina falecendo, jogando sua espada no lago de Avalon. O corpo teria sido levado para ser enterrado em um secreto local encantado da ilha. A crença que inspirou o desenvolvimento do folclore britânico defende ainda outra versão sobre a suposta morte do monarca. Durante a intensa viagem, ele estaria apenas

Shutterstock

Espada Excalibur: lendária arma usada nas histórias do Rei Arthur dormindo, aguardando o momento certo para retornar ao convívio público após ser curado pela energia milagrosa do território.

ARTES MÁGICAS

A ilha seria também um poderoso refúgio de espíritos místicos capazes de alterar o destino dos mortais conforme suas influências de feitiçaria. No histórico conto "As Crônicas de Arthur", do britânico Bernard Cornwell, Avalon é chamada pelo nome de Ynys Wydryn (Ilha de Vidro). A obra literária faz parte da famosa trilogia sobre a saga do mitológico herói. As narrativas românticas de ficção misturam teorias lendárias com fatos históricos da trajetória inglesa e mundial. Uma das figuras mais importantes do local é a fada Morgana, meia-irmã do monarca literário. A jovem sacerdotisa está em processo de treinamento para assumir o lugar de Viviane como Dama do Lago e comandar a ilha. No local viveria também o folclórico mago Merlin, que atuava como um dos principais conselheiros do rei. A importante figura feminina da lenda asturiana era irmã mais velha de Igraine, mãe do Rei Arthur, e recebeu a missão de entregar a espada mística ao sobrinho. Em uma cerimônia realizada em pontos espirituais da ilha, o protagonista da história recebeu Excalibur diante de Merlin e sua meia-irmã Morgana. Uma das promessas realizadas durante o ritual garantia um governo sob o reino da Inglaterra seguindo os princípios católicos e os dogmas místicos de Avalon.

RELIGIÃO ANTIGA

Avalon era, acima de tudo, uma verdadeira escola sobre antigos deuses pagãos. Os conhecimentos compartilhados no território atravessavam gerações com a figura de Merlin sendo o grande senhor da região. Os habitantes estudavam intensamente sobre o passado místico ajudados por sacerdotes de muita influência política, que se dividiam em várias funções. Os poderes de Merlin foram responsáveis pela construção da mitológica Torre Tor. No local, o mago guardava todos os seus tesouros, incluindo informações mágicas extremamente poderosas. O pai do Rei Arthur, Uther Pendragon, que atuou como soberano dos Bretões, seguiu durante muito tempo os princípios de adoração transmitidos pela Dama do Lago. A famosa Távola Redonda do Rei Arthur, citada em inúmeras produções culturais, posicionava todos os cavaleiros da tropa em cadeiras iguais para simbolizar a visão de comunidade igualitária perante o soberano e as divindades locais.

ÁGUAS SAGRADAS

Como os ensinamentos locais também faziam parte das crenças de sua mãe, o herói da saga literária se comprometeu a propagar os dogmas pa-

Monumento dedicado às lendas do Rei Arthur e a Avalon na Cornualha, Inglaterra

gãos para que não fossem esquecidos com o passar do tempo. Segundo a mitologia inglesa, a personagem de Morgana desprezava todos os campos de estudos praticados por esta crença, tornando-se um problema para ajudar a salvar seu irmão. Após sofrer grave ferimento em combate, Morgana conduziu Arthur a um barco para tentar levá-lo até Avalon. Porém, por sua conduta questionadora sobre os poderes da Dama do Lago, foi impedida de entrar na ilha mágica. Para solucionar o impasse, o Rei Arthur precisou devolver sua espada às águas, redimindo sua irmã e, assim, alcançar as terras sagradas. Em diferentes versões disseminadas no folclore britânico, a figura da sacerdotisa transitava entre o lago e o solo da ilha. Um túmulo para o herói monarca teria sido construído na região abençoada pelas forças místicas de Merlin. As teorias sobre a figura literária do mago foram muito além das obras destinadas ao ciclo arturiano. O personagem medieval de Godofredo de Monmouth aparece também em outra série do autor, chamada "As Profecias de Merlin", em que o texto mistura lendas populares no País de Gales. Ao longo dos séculos, escritores de diferentes nacionalidades abordaram as histórias do mago e de Arthur em seus títulos literários.

OFICIALMENTE GLASTONBURY

Um grupo de monges da Abadia de Glastonbury, no condado inglês de Somerset, afirmou ter encontrado os ossos do Rei Arthur e da Rainha Genebra enterrados no território. A partir de 1190, a lendária ilha de Avalon tornou-se oficialmente parte da região de Glastonbury. Acredita-se que a mística área das histórias arturianas esteja localizada dentro do condado cercado por pântanos e repleto de árvores abundantes de maçãs, conforme é descrito nos livros. Após a invasão dos Saxões nas terras inglesas nos últimos anos do século V, este vale mágico teria deixado de ser Avalon e rebatizado como Glastonbury pelos invasores. Situada a 50 quilômetros ao sul de Bristol, a cidade tem atualmente uma população estimada em 8.800 moradores. Envolvido em diversas teorias religiosas, históricas e culturais, o condado recebe muitos turistas para peregrinações católicas e visitas às ruínas da Torre Tor, que nos registros oficiais são apenas resquícios de uma igreja antiga. Apesar de abrigar o monumento remanescente da abadia de Glastonbury e ter sido extremamente católica ao longo dos séculos, diversos movimentos ligados às crenças místicas e ideologias pagãs ainda imperam no local. Dos pontos altos da cidade é possível entender como o território pode ter sido geograficamente uma ilha no passado, especialmente no inverno, quando os campos ficam constantemente alagados.

TEMPLO SAGRADO

Muitos estudiosos do folclore britânico alegam que as teorias de que Glastonbury seria, na verdade, a ilha de Avalon, são completamente falsas. Para eles, a descoberta do túmulo do Rei Arthur no condado evidencia que o local é apenas um caminho até a verdadeira Avalon. Segundo lendas preservadas pelos galeses, a ilha representaria uma espécie de paraíso misterioso repleto de amor e beleza. A região mágica seria o único caminho existente no mundo para alcançar a imortalidade. O mito está relacionado às macieiras abundantes e características da região, que fariam referência ao Jardim do Éden descrito na Bíblia. O refúgio abriga seres mitológicos, como os personagens da saga arturiana, e cavaleiros de almas puras que conseguiram encontrá-la. Povos irlandeses e de outras regiões próximas também possuem uma extensa lista de lendas sobre a popular mitologia. O funcionamento da ilha aconteceria de maneira muito diferente dos outros lugares existentes no mundo, tornando impossível que sofrimentos cheguem até seus habitantes. Aventureiros, religiosos e pesquisadores tentaram encontrar esse refúgio em várias partes da Europa, como na Irlanda, no País de Gales e no condado da Cornualha.

PORTAL MISTERIOSO

De acordo com algumas vertentes da mitologia inglesa, somente as pessoas que acreditam na existência da ilha mística poderão encontrá-la. Os mistérios do território são destinados apenas aos que possuem pureza na alma. A terra da magia seria habitada também por conselheiros ancestrais destinados a acompanhar o crescimento espiritual de seus seguidores. O ingresso nessa trajetória de autoconhecimento e aprendizado universal aconteceria apenas através de um portal mágico, situado

Schistra / Shutterstock

A famosa Távola Redonda do Rei Arthur, em Winchester, na Inglaterra

além das águas de Glastonbury. A busca pela plenitude divina no local pode ser percebida no interior de cada pessoa que tem fé na mitologia, e o caminho para ingressar em Avalon estaria dentro de seus próprios sentimentos. No entanto, outras lendas defendem que o acesso ao território só pode ser feito por uma caverna encantada situada na encosta de uma montanha. Para os sacerdotes da ilha, essa colina poderia ser vista de longas distâncias. Já para as pessoas comuns, o portal era visto apenas como uma grande encosta ao centro de águas calmas. Em uma das versões mais populares do mito, o grupo de sacerdotes locais seria liderado por Morgana, declarada a nova Dama do Lago. Um de seus segredos mais protegidos em Avalon estaria envolvido com a taça da cura, utilizada para salvar o Rei Arthur. O local emanaria tanta paz que os conflitos entre o herói monarca e sua meia-irmã relatados nas obras literárias ficariam completamente esquecidos.

Diversas lendas sobre a existência do Santo Graal, o cálice sagrado que representaria a linhagem secreta de Jesus Cristo e Maria Madalena, foram disseminadas por romances medievais ingleses. Segundo as histórias mitológicas, após a crucificação de Cristo, o judeu José de Arimateia teria levado o objeto para a Inglaterra, onde fundaria a primeira congregação cristã do país em Glastonbury. Com o passar do tempo, o Graal acaba sendo perdido e caindo no anonimato. A primeira pessoa a buscar pelo artefato sagrado, que oferece poderes a quem o possui, é justamente o Rei Arthur. Para ele, o Graal é a única forma de salvar sua vida e a existência do reino de Camelot. O personagem mitológico e seus cavaleiros nunca chegaram a encontrar o objeto religioso.

A BUSCA PELO REINO DE AGARTHA

18

O MÍSTICO REINO SUBMERSO NO INTERIOR DA TERRA ESTÁ ENVOLTO EM TEORIAS EMBALADAS POR ESTUDOS CIENTÍFICOS E ARGUMENTOS ESPIRITUAIS DO BUDISMO

O mito relacionado ao reino de Agartha atravessou as fronteiras do tempo e permanece popular há mais de 140 anos. Baseada na complexa teoria da Terra Oca para os cientistas, a lenda originalmente budista representa um dos principais temas de discussão entre ciência e religião. A avançada civilização subterrânea seria dominada pela mitológica figura do Rei Mundo, compondo um ambiente em que predominam a paz e o equilíbrio espiritual. O primeiro relato sobre a existência do reino místico foi feito pelo escritor francês Louis Jacolliot em 1873. Ao detalhar as características desse povo, ele se refere à região como Asgartha, o que levou a diversas especulações pela semelhança com os nomes que os nórdicos davam para seus deuses. Outra versão da lenda afirma que a população subterrânea estaria vivendo em um moderno sistema de cavernas e túneis projetados em pontos isolados do Himalaia, próximo à Índia. Apesar de ter sido abordada por diversos pesquisadores na época, a teoria alcançou maiores proporções quando o escritor, geólogo e cientista polonês Ferdynand Ossendowski publicou o livro "Besta, Homens e Deuses: O Enigma do Rei do Mundo". A obra, que misturava elementos científicos, religiosos e políticos, fala sobre a terra misteriosa diante da experiência espiritual de elaborados personagens. O local seria uma espécie de mundo paralelo onde o vento não sopra, a Terra não se move e os habitantes respiram sabedoria.

REI DO MUNDO

A cidade submersa seria povoada por milhares de moradores que vivem livres de vícios em um longo processo de busca por conhecimento e paz interior. Na obra literária, o Rei do Mundo, chamado de Melquisedec, está retratado como uma figura divina, muito respeitada, sendo o espírito mais iluminado entre as esferas universais. Segundo a tradição mitológica, todas as formas de vida existentes precisam reverenciar o grande rei espiritual. As teorias sobre o soberano foram intensamente estudadas e adotadas como crenças religiosas por muitos monges. O tema também despertou interesse em pesquisadores ligados às vertentes ocultistas, como os escritores franceses René Guénon e Saint-Yves d'Alveydre. Para ingressar nas terras místicas de Agartha, as teorias garantem ser necessário possuir uma grande fé interior na existência desse lugar, repleto de tranquilidade e bons sentimentos. O reino teria contato direto com Deus por meio de seu soberano, que está ligado espiritualmente a todas as divindades do universo. Melquisedec viveria em um grande palácio repleto de espaços cobertos por cristais, acompanhado em seu trono por grupos de Panditas Espirituais e divindades poderosas com força suficiente para destruir toda a humanidade caso se sintam desafiados.

MITO DE SHAMBALA

Apesar de Ossendowski nunca ter feito nenhum comentário sobre o assunto, muitos pesquisadores acreditam que ele tenha se inspirado nas lendárias histórias de Shambala para compor seu literário refúgio submerso. Enquanto trabalhava no livro, o escritor visitou lugares onde o mito foi criado, como Tibete e Mongólia. Própria do budismo tibetano, a teoria diz que Shambala é um lugar místico localizado em um ponto escondido no Himalaia ou próximo à Sibéria. Citado em diversos textos sagrados ao longo dos séculos, o território preserva os ensinamentos tradicionais da religião proporcionando um espaço de paz, equilíbrio e felicidade. De acordo com as escrituras Tantras, um dos reis de Shambala recebeu conhecimentos de Buda sobre a modalidade mais alta da prática de Kalachakra Tantra.

A tradição dessa filosofia conta que quando o mundo perder todo o bem existente, o 25° rei do solo mágico das terras de Shambala será revelado para combater as forças obscuras da maldade. A partir disso, em diversas partes do universo começará uma nova Idade de Ouro. A maioria das versões da lenda no Tibete traz a região sagrada como capital do reino de Agartha. O acesso à área misteriosa seria feito apenas por um portal secreto. Ao passar pela entrada, uma série de luzes amenas levaria o visitante até uma grande plantação de alimentos, cultivados em solos férteis para garantir uma boa qualidade de vida aos moradores.

EXPANSÃO DA CRENÇA

O local sagrado acolheria os habitantes de acordo com o karma espiritual de cada um. Seria uma das condições necessárias para que o candidato ao ingresso no reino desenvolva plenamente sua capacidade de evolução interior. Entre os moradores da capital iluminada estariam homens da ciência, sacerdotes, missionários e monges budistas de níveis avançados. Toda a estrutura do território sagrado seria muito semelhante ao Palácio de Potala, a principal residência de Dalai Lama, localizada em Lassa, no Tibete. As teorias sobre a civilização submersa se espalharam por diversas partes do Ocidente em meados do século XVII. Na época, os missionários católicos Estêvão Cacella e João Cabral realizaram viagens ao Tibete para tentar desvendar mais informações sobre o conteúdo da extensão geográfica do local. Os conceitos espirituais em torno da vida em Shambala foram disseminados por grupos de missionários, exploradores, estudiosos, ocultistas e, principalmente, pelos princípios da Teosofia defendidos por Helena Petrovna Blavatsky.

A escritora russa foi a grande responsável pela abordagem do mito em cursos esotéricos, despertando o interesse de diversos aventureiros em busca da região mística. Muitas tentativas de explicação sobre a localização geográfica de Shambala foram apresentadas por esses grupos, porém nenhuma delas chegou a ser comprovada cientificamente. De acordo com as crenças da Teosofia, todos os habitantes do território sagrado pertenceriam aos quadros ocupados pelos homens mais sábios do mundo na Grande Fraternidade Branca. O primeiro relato sobre a área foi realizado pelo erudito húngaro Alexander Csoma de Köros.

INTERESSE POLÍTICO

Com uma narrativa totalmente voltada para o anticomunismo, Ferdynand Ossendowski teria usado sua lendária obra para obter vantagens em relações políticas. Os bolcheviques, integrantes mais radicais do POSDR (Partido Operário Social-Democrata Russo), são identificados no texto como anticristos que o reino sagrado tentava combater. Sabendo do caráter extremista do Barão Von Sternberg contra a situação dos comunistas na Rússia, ele tentou impressioná-lo contando as histórias abordadas em seu trabalho para popularizar ainda mais o mito sobre a civilização isolada. Diversas hipóteses ligadas à escola teosófica afirmam que antes de Shambala ser um reino submerso, teria existido uma ilha no território, quando a Ásia central ainda era formada por um grande mar. O local seria o primeiro ponto habitado pelos Senhores da Chama, conhecidos como criadores espirituais dos seres humanos, após chegarem de Vênus. Hoje, o que restou da Ilha Branca, como é conhecida folcloricamente, seria protegido de invasões por seres espirituais no Deserto de Gobi, entre a China e a região sul da Mongólia. Grupos de ocultistas integrados ao nazismo, na Alemanha, enxergavam as lendas místicas como uma forte fonte de poder capaz de dominar as energias espirituais do universo. Aproveitaram os financiamentos de estudos apoiados pelo governo do país para investigar mais informações sobre o mito, desenvolvendo alguns textos centrados no assunto.

TERRA OCA

Ao longo dos séculos, alguns representantes da comunidade científica desenvolveram pesquisas para confirmar a teoria da Terra oca. De acordo com suas afirmações, o planeta seria um corpo oco com diversas fendas localizadas nos polos geográficos. As áreas internas seriam habitadas por povos avançados tecnologicamente. Esses seres misteriosos conheceriam partes da Terra por meio de visitas realizadas em Óvnis. O renomado astrônomo e matemático britânico Edmund Halley, responsável por descobrir o cometa Halley, foi um dos primeiros acadêmicos a defender a existência desse território submerso. Devotado à religião e temente a Deus, Halley acreditava que a cidade no interior da Terra deveria ser povoada por seres espirituais.

Baseado em anos de estudos sobre as inconstâncias do campo magnético da Terra, ele desenvolveu a teoria das Quatro Esferas, fenômeno que seria o causador da Aurora Boreal, que ocorre em regiões polares. Atualmente, a ciência já apresentou outras explicações acertadas sobre as movimentações na esfera eletromagnética no interior da Terra, porém as pesquisas de Halley nunca chegaram a ser completamente desacreditadas.

NATUREZA ESPIRITUAL

As teorias tibetanas sobre Shambala acreditam que a aparência do território mágico subterrâneo variava de acordo com a natureza espiritual de cada pessoa que a observasse. Funcionaria como uma espécie de espelho refletindo seus sentimentos interiores e formando um ambiente correspondente às necessidades de estudos religiosos individuais. Um dos principais conceitos dessas práticas budistas é desenvolver um nível tão avançado de conhecimento que permita ao monge encontrar intuitivamente o caminho espiritual até as terras abençoadas. Diversas especulações contam que o governo americano teria enviado uma expedição à Antártida baseada nas informações disseminadas por livros para tentar encontrar o portal secreto. Apesar de não conseguirem nenhum resultado concreto, os pesquisadores descobriram que aquela parte do planeta formava um continente. A sociedade secreta Vril, formada por nomes poderosos do nazismo alemão, também teria financiado diversas tentativas de localizar Shambala. Extremamente interessados em extraterrestres, eles acreditavam na possibilidade de encontrar os Óvnis citados pela ciência. O grande objetivo dos homens de Hitler era descobrir, por meio dos seres subterrâneos, como manipular naves espaciais para utilizá-las em guerras. Segundo suas pesquisas, no interior da Terra viveriam também esquimós e animais após a morte.

MENOS CONHECIDAS, MAS MUITO IMPORTANTES

19

AINDA QUE NÃO TENHAM SIDO NOTICIADAS COM TANTO DESTAQUE POR EQUIPES DE PESQUISAS, ESSAS CIVILIZAÇÕES TAMBÉM DESPERTARAM INTERESSE POR SUA CULTURA AO LONGO DOS SÉCULOS

Suronin / Shutterstock

Ruínas da cidade de Mohenjo-daro

Embora tenham contribuído expressamente para descobertas importantes da arqueologia, algumas cidades perdidas acabaram recebendo menos destaque em contextos históricos e acadêmicos. A cultura harappeana, por exemplo, ficou esquecida durante vários séculos até que em 1920 escavações revelaram vestígios de sua existência. O povo da civilização do Vale do Indo ascendeu durante a Idade do Bronze, entre 4000 a.C. e 1300 a.C., sendo uma das três primeiras sociedades formadas no Velho Mundo ao lado da Mesopotâmia e do Egito antigo. Seus domínios territoriais estavam entre o noroeste da Ásia meridional, estendendo-se a pontos do Afeganistão, do Paquistão e da Índia. Durante o apogeu, a população pode ter alcançado mais de 5 milhões de pessoas, formando uma série de comunidades espalhadas pelo vale, compartilhando os mesmos costumes.

As produções arquitetônicas construídas no Indo mostram técnicas avançadas de distribuição urbana e sistemas eficientes de drenagem. Grandes conjuntos de edifícios e casas residenciais foram erguidos e equipados com esquemas de abastecimento de água. Entre as atividades comerciais desenvolvidas estavam a produção de artesanato, especializado em esculturas de vedação e trabalhos metalúrgicos com cobre, chumbo e bronze. As negociações eram feitas com joias, selos e peças de vestuário. Pesquisas sobre o local encontraram as primeiras ruínas da cidade de Harappa em terras atualmente pertencentes ao Paquistão. Acredita-se que o território era uma espécie de centro comercial do vale, concentrando todo o poder administrativo da sociedade. Os trabalhos de escavação em torno do sítio arqueológico revelaram em seguida regiões importantes como Mohenjo-daro, uma das maiores províncias populacionais da antiga civilização. Segundo pesquisadores, não existe nenhum indício de violência entre as ruínas encontradas. Ao que tudo indica, as cidades empobreceram diante das mudanças relacionadas ao clima árido do território. O sistema agrícola teria ruído após o desaparecimento do rio Saraswati, alternando um longo período entre secas e cheias e resultando no desaparecimento da civilização harappeana.

CONSTRUÇÕES REFINADAS

O assentamento neolítico de Çatalhüyük alcançou um refinado estágio arquitetônico em aproximadamente 6700 a.C. Existentes na região da Anatólia, construíram uma série de casas espaçosas cuja entrada era feita pelo teto. Como o local não possuía espaço para ruas, acredita-se que a passagem entre as habitações acontecia através de conexões estratégicas adaptadas na parte de cima. O sítio arqueológico com as ruínas da antiga sociedade é atualmente considerado Patrimônio Mundial da Unesco. Antes de realizar as construções, a população desenvolvia uma espécie de planta projetando as divisões necessárias no espaço. As casas possuíam plataformas específicas na horizontal para dormir. Outros cômodos evidenciavam a preocupação com áreas dedicadas ao trabalho. Além das divisões, as residências tinham também fogões em cômodos usados exclusivamente para a preparação de alimentos.

Peças de cerâmica decoravam o interior das construções acompanhadas por murais exibindo desenhos repetidos. Entre as esculturas encontradas pela arqueologia, inúmeras figuras femininas chamaram a atenção dos pesquisadores. Acredita-se que a intenção dos trabalhos seja simbolizar a fertilidade das mulheres da região. A maioria das atividades artísticas era feita a partir de ossos colocados em um sistema de moldes. Em torno de 18 níveis diferentes de técnicas foram encontrados nos artefatos, confeccionados com traços delicados e precisos. Os ambientes residenciais se dividiam entre lugares limpos e sujos. Estudiosos acreditam que as partes não higienizadas funcionam como um depósito de lixo. Após o falecimento dos membros da civilização, os corpos eram sepultados dentro das casas em posição fetal. Até o momento, as causas que levaram à extinção de Çatalhüyük permanecem sendo um mistério.

CIDADE DE CAHOKIA

Atualmente, as ruínas deixadas pela civilização indígena se tornaram o Sítio Histórico Estadual dos Cahokia Mounds. O território fica entre uma planície do leste de Saint Louis e Collinsville, no Sudoeste de Illinois, EUA. Em seu período de atividades, entre os anos 600 e 1400, a região possuía uma extensão geográfica maior do que Londres. Seus assentamentos começaram a ser construídos mais de cinco séculos antes da chegada dos europeus ao continente americano. Cerca de 80 montículos feitos de terra e madeira pelos índios estão preservados no local, aberto à visitação. A distribuição das pequenas colinas isoladas era realizada na forma de um complexo calendário solar, marcando as estações do ano. Estudos sobre os trabalhos de pré-urbanização em Cahokia ainda estão em andamento.

CULTOS MILENARES

O santuário de Göbekli Tepe é o local de culto mais antigo do mundo, encontrado por arqueólogos. Está situado no topo de uma colina no encadeamento dos montes Tauro, sudoeste da Turquia. Construída aproximadamente durante o terceiro milênio por caçadores-coletores, a estrutura possui 15 metros de altura e 300 de diâmetro. Especula-se, diante do estado das ramificações do santuário, que possa ter sido utilizado ainda no período mesolítico. Em seu interior, o templo registra ilustrações de touros, leões, pássaros, aracnídeos e répteis. De acordo com pesquisadores, não existe a possibilidade das figuras representarem uma linguagem escrita. As descobertas feitas por equipes alemãs revolucionaram o que se sabia, até então, sobre as teorias relacionadas à religiosidade local. Muitas lendas especulam que a região seria uma extensão do Jardim do Éden, citado na Bíblia como o local construído por Deus para abrigar Adão e Eva.

Ao longo do processo de pesquisas, outros assentamentos foram encontrados no território. Monumentos megalíticos, como casas ou templos, exibiam figuras semelhantes às do santuário estampadas nas paredes. Os que mais se aproximam da representação de formas humanas estão localizados em pilares de algumas construções. Os abutres são os animais retratados com mais frequência nas edificações. Acredita-se que os mortos da civilização eram deixados expostos no solo para que fossem devorados pelos bichos. Pesquisadores americanos estiveram em Göbekli Tepe para escavações em 1964. Em seus resultados, avaliaram que a região da colina não pode ter sido erguida sem a participação de comunidades humanas. No entanto, registraram oficialmente o território apenas como um cemitério bizantino abandonado. Os trabalhos do Instituto Arqueológico Alemão começaram em 1994 apoiados pelo Museu de Şanlıurfa. Como a população pré-histórica possuía o hábito de remover rochas para limpar o terreno, grande parte do material pesquisado foi deteriorado, dificultando novas descobertas.

NABTA PLAYA

A região é conhecida pela grande quantidade de sítios arqueológicos. Localizada no Deserto da Núbia, a área esteve extremamente fértil em torno de 1000 a.C. Uma grande sequência de chuvas possibilitou a formação de um lago, melhorando as condições de vida no território. Os primeiros

Sítio arqueológico de Anatólia, na Turquia

povos a habitar o local foram atraídos pelo clima favorável e pela possibilidade de criação de gado nos pastos. As sociedades ascendentes em Nabta Playa foram, segundo registros arqueológicos, as primeiras a domesticarem grandes rebanhos na África. O território alcançava o nordeste do Sudão entre o rio Nilo e o Mar Vermelho. A população desenvolveu técnicas de cerâmica repletas de inscrições complexas nas peças. Durante o sétimo milênio a.C., existiu na região um grande assentamento que utilizava como recurso poços profundos de água construídos para garantir o abastecimento anual. A produção agrícola da época girava em torno de legumes, milho, frutas, sorgo e tubérculos.

De acordo com estudiosos, cabras e ovelhas vindas do nordeste do território contribuíram para o avanço comercial do local. Suas vilas eram erguidas com arranjos planeados com pedras acima e no interior do solo. Alguns pesquisadores alegam que o deserto possuía essas características amenas apenas no verão, fazendo com que a população migrasse para outros locais durante o resto do ano. Uma das principais construções de Nabta Playa é um dos dispositivos arqueoastronômicos mais antigos descobertos pela história da arqueologia. O grande monumento, formado por rochas enormes, indicava o aparecimento das estrelas em diferentes épocas e as condições do Sol. O local ainda está sendo estudado com referenciais incluídos em documentos oficiais da Unesco.

IMPÉRIO KHMER

A região de Angkor serviu como base para o poderoso império Khmer. Situada no Camboja, a civilização existiu aproximadamente entre os séculos IX e XIII. Durante o ano de 2007, um intensivo trabalho de pesquisa internacional concluiu, a partir de imagens realizadas por satélites, que o território teria funcionando como a maior cidade pré-industrial do mundo. Um avançado projeto de urbanização ligava a extensão da área de mil quilômetros quadrados entre todos os núcleos formados pelos templos locais. Pouco se sabe sobre a estrutura social do Império Khmer, no entanto, evidências geológicas comprovaram o avanço de grandes campos agrícolas na sociedade com tamanho suficiente para alimentar milhões de moradores. Com métodos de arquitetura extremamente modernos, a população foi responsável pela construção de uma série de templos luxuosos. Mais de mil monumentos foram encontrados entre as ruínas do sítio arqueológico. Entre eles está o Angkor Wat, considerado a maior construção religiosa do mundo. Atualmente, todas as áreas pertencentes à civilização no passado integram a lista da Unesco como Patrimônio Mundial. Grande parte das ruínas foi restaurada e se tornaram um importante centro histórico aberto aos turistas, recebendo mais de 2 milhões de visitantes ao ano. O domínio territorial de Angkor durou até 1431, quando povos tailandeses invadiram a região, causando a migração da comunidade para Phnom Penh.

ESCRITURAS RELIGIOSAS

Mitologicamente, a cidade de Ubar ficou conhecida como uma versão muçulmana do continente perdido de Atlântida. Citada pelo alcorão como uma civilização existente na região sul do deserto da Arábia, o território recebeu o apelido de Atlântida das Areias. Durante a história descrita pelo livro sagrado do Islã, a população, chamada de Ad, teria construído inúmeros prédios desenvolvendo uma importante estrutura de administração. Impressionados pela ascensão da região, os moradores acabaram se desviando dos ensinamentos de Alá. Preocupado com o rumo da cidade, a divindade árabe teria enviado o profeta Hub. Em atos completamente soberbos, o povo Ad alegou não precisar mais de ensinamentos. Alá, furioso, teria decidido puni-los com uma tempestade de areia durante oito dias e sete noites. Diante dos estragos causados no território, todos os moradores desapareceram. Por meio de imagens captadas por satélites da Nasa, arqueólogos americanos encontraram, em 1990, vestígios deixados pela cidade de Ubar. As evidências eram constituídas por rotas de camelo e ocupações administrativas. Apesar da apresentação do material, ainda não foi confirmada cientificamente a ligação do local com o mito da Atlântida das Areias.